Formación del hombre

MARIA MONTESSORI

Formación del hombre

EDITORIAL DIANA
MEXICO

PRIMERA EDICION, DICIEMBRE DE 1986

ISBN 968-13-1704-1

PREJUICIOS Y NEBULOSAS

CONTENIDO

ANALFABETISMO MUNDIAL

INTRODUCCION

Contradicciones

¡Han pasado ya muchos años desde que iniciamos nuestro trabajo! En 1907 se inauguró la primera Casa de los Niños y, casi inmediatamente después, se difundieron por todo el mundo tanto la idea como la nueva obra para la educación del niño. Han pasado, pues, más de cuarenta años, y en este tiempo han ocurrido las dos grandes guerras, la europea y la mundial, sin que se haya extinguido aquel movimiento educativo que ha echado buenas raíces en tantos países.

Y ahora, más convencidos que nunca de la importancia de la educación del niño, deseamos dar un nuevo impulso a nuestra obra para sacar de ella una ayuda efectiva en orden a la reconstrucción de esta humanidad dolorida, que parece aplastada por los cataclismos humanos más espantosos de la historia.

Me da la sensación de dirigirme a una familia vigorosa que debe proseguir su camino, y que, aunque es joven y fuerte, tiene mucha necesidad de fe y de esperanza.

Querría exponer aquí una guía que sirviera de orientación para nuestra tarea. ¿Por qué, respecto de lo que se llama «Escuelas Montessori» y «Método Montessori», han surgido tantas dificultades, tantas contradicciones, tantas incertidumbres? Y sin embargo las escuelas van adelante en medio de guerras y cataclismos, y se extienden cada vez más por todo el mundo. Las encontramos incluso en las islas Hawai, en Honolulú en medio del océano. Las hallamos entre los nativos de Nigeria, en Ceilán, en China; es decir, en medio de todas las razas y en todas las naciones del mundo.

¿Creéis acaso que existen escuelas perfectas entre los nativos de África, de la India o de China, y aun en las naciones más civilizadas? Si escucháis a los «expertos» os dirán que no existe una escuela verdaderamente buena. Y al mismo tiempo todos están de acuerdo en que el Montessori es el método educativo moderno más difundido en la actualidad. ¿Por qué, pues, se difunde si no existen modelos perfectos? ¡Cuántas naciones han modificado las leyes para no obstaculizar la difusión del Método Montessori! ¿Por qué?, ¿con qué fundamento? ¿Cómo se ha difundido, si no cuenta ni con revistas, ni con iniciativas publicitarias o sociedades organizadas, enteramente de acuerdo entre sí y coordinadas orgánicamente?

Se diría que es un fermento transformador, o una semilla que se difunde con el viento.

Es además un método que parece egoísta, que quiere caminar solo, sin mezclarse con ninguno; y sin embargo ¡ningún otro método aprovecha tanto la ocasión para proclamar la unión y la paz en el mundo! ¡Cuántas contradicciones! ¿No hay en esto algo misterioso?

Existen corrientes y educadores importantes, como —por ejemplo— la gran sociedad mundial del *New Education Fellowship*, que creen poder lograr una armonía y colaboración entre el Método Montessori y los otros métodos nuevos que están brotando por doquier. Por todas partes se querría dar ya este paso decisivo: armonizar todos los esfuerzos de aquellos que, con diversas tentativas, han buscado la educación de la infancia. Es necesario sacar al método de su aislamiento; hacer que los investigadores lo aprecien; y sobre todo enseñarlo mejor y más ampliamente a los maestros. Yo sé que muchos, que han dedicado la vida a este método, están ahora afrontando este problema de la cooperación.

Otra cosa extraña es que este método, ideado para los *Kindergärten*, se ha infiltrado en las escuelas elementales e incluso en las secundarias y en las universidades.

En Holanda existen cinco Liceos Montessori, que han dado unos resultados tan satisfactorios que han llevado al Gobierno holandés no sólo a prestarles ayuda económica, sino incluso a hacerlos independientes, como los otros Liceos reconocidos. Yo he visto en París un Liceo

privado montessoriano que forma unos alumnos más
seguros de sí mismos, más independientes de carácter,
y nada miedosos ante los exámenes como los alumnos
que provienen de los otros Liceos franceses. En la India
incluso se ha llegado a la conclusión de que son necesarias las Universidades Montessori.

Pero el método ha ido también por el camino opuesto,
y ha sido aplicado a niños menores de tres años. En Ceilán
se admiten en nuestras escuelas niños de dos años de
edad; e incluso la gente pide que sean admitidos también
los niños de año y medio. En Inglaterra hay muchas
nurseries que emplean nuestro método: *nurseries* montessorianas se han fundado también en Nueva York.

¿Qué es, pues, este método que partiendo de los recién nacidos tiende a alcanzar a los doctores universi-
tarios?

No ocurre lo mismo con los otros métodos. El método Froebel se aplica exclusivamente a los niños de edad
infraescolar; el método Pestalozzi se aplica sólo en las
escuelas elementales; los métodos de Herbart están pen-
sados especialmente para la escuela secundaria. Y entre
los métodos más modernos, tenemos el Método Decroly,
destinado a las escuelas elementales, el Dalton Plan, a las
escuelas secundarias principalmente, etc. Los métodos
clásicos han quedado modificados, es verdad; pero los
que sirven para educar a un grupo determinado, no podrán servir para los otros. Ningún profesor de escuela
secundaria se preocupa del modo como se educa en las
guarderías, y mucho menos en las *nurseries*. Un grado es

enteramente distinto del otro; y los métodos que hoy se están multiplicando, se aplican a una u otra de éstas bien definidas.

Quien dijera que existen liceos con el método Froebel, diría algo que no tiene sentido. Y quien dijera que pretende extender a las Universidades los métodos de las *nurseries*, diría una majadería.

Y sin embargo, ¿por qué se habla con toda seriedad de extender el Método Montessori a todos los grados de la educación? ¿Qué significa todo esto? ¿Qué piensan que es el «Método Montessori»?

Continuamente se establecen paralelos y aproximaciones. Por ejemplo, se comparan las *nurseries* inglesas con las escuelas Montessori; se parangonan los juguetes y el modo de tratar a los niños en las dos instituciones, con la intención de compaginarlas y hacer de las dos una sola cosa. En América se han establecido muchos paralelos para unificar los parvularios froebelianos y las Casas de los Niños. Comparando nuestro material con las prendas froebelianas, se ha llegado a la conclusión de que los dos métodos son buenos y que sería conveniente emplearlos conjuntamente. Existen algunos aspectos de discordancia, por ejemplo respecto de los cuentos de hadas, sobre los juegos con la arena, empleo del material y otros particulares, en cuya defensa surgen todavía muchas discusiones. Incluso en las escuelas elementales se sigue discutiendo sobre los métodos para enseñar a leer y escribir, o para enseñar la aritmética, y se habla especialmente de nuestra insistencia por enseñar la geometría y otras cosas demasiado pronto, durante este período de la instrucción. Respecto de las escuelas secundarias, las opiniones son diversas. Unos piensan que nosotros no tenemos bastante en cuenta el deporte y otros trabajos que dan una impronta más moderna a la enseñanza, como la mecánica y los trabajos manuales. Y todo esto se pone tanto más de relieve cuanto que los programas de las escuelas montessorianas deben ser los mismos necesariamente que los de las demás escuelas secundarias, pues de otra forma sus alumnos no serían admitidos en la Universidad.

En resumen, que nos encontramos en un verdadero laberinto...

¿Qué es el Método Montessori?

Se querría saber en pocas y claras palabras lo que es este Método Montessori.

Si se aboliera no solamente el nombre, sino también el concepto común de «método» para sustituirlo por otra designación; si hablásemos de «una ayuda hasta que la personalidad humana pueda conquistar su independencia, de un medio para liberarla de la opresión de los prejuicios antiguos sobre la educación», entonces todo estaría claro. Es, pues, la personalidad humana lo que hay que considerar, y no un método de educación: es la defensa del niño, el reconocimiento científico de su naturaleza, la proclamación social de sus derechos lo que debe suplantar a los modos fragmentarios de concebir la educación.

Y puesto que la «personalidad humana» pertenece a todo ser humano, y son hombres los europeos, los indios y los chinos, si se descubre una condición de vida que ayude a la personalidad humana, esto interesará y afectará por su propia fuerza a todas las regiones habitadas por hombres.

Pero ¿qué es la personalidad humana? ¿Dónde comienza? ¿Cuándo empieza el hombre a ser hombre? Es difícil precisarlo. En el Antiguo Testamento el hombre fue creado adulto; en el Nuevo se nos presenta como niño. La personalidad humana es ciertamente una sola, que pasa por diversos estadios de desarrollo. Pero, cualquier hombre que se considere y en cualquier edad, niños de las escuelas elementales, adolescentes, jóvenes y hombres adultos en general, todos empezaron por ser niños; y pasan luego de niños a adultos sin que se rompa la unidad de su persona. Si la personalidad es una en diversos estadios de desarrollo, se debe concebir también un principio educador que afecte a todas las edades.

De hecho nosotros, hoy, en nuestros cursos más recientes, hemos llamado al niño: hombre.

El hombre desconocido

El hombre que llega al mundo bajo la forma de niño se desarrolla rápidamente por un verdadero milagro de creación. El recién nacido no tiene todavía ni el lenguaje ni los otros caracteres relativos a las costumbres de la estirpe: no tiene inteligencia, ni memoria, ni voluntad, ni menos el poder de moverse y de tenerse en pie; y sin embargo este recién nacido lleva a cabo una auténtica creación psíquica: a la edad de dos años habla, camina, reconoce las cosas: y, pasados los cinco años, alcanza el desarrollo psíquico suficiente para ser admitido a estudiar en las escuelas.

Existe hoy un gran interés científico por conocer la psicología infantil en los primeros años de edad. Durante miles y miles de años la humanidad había pasado junto al niño, quedándose enteramente insensible ante esta especie de milagro de la naturaleza, que es el formarse de una inteligencia, de una personalidad humana. ¿Cómo se forma? ¿A través de qué procesos y con qué leyes?

Porque si todo el universo se rige por leyes fijas, es imposible que la mente humana se forme al azar, es decir sin leyes.

Todo se desarrolla a través de procesos evolutivos complejos; incluso el hombre, que a los cinco años se ha convertido en un ser inteligente, debe haber tenido también su evolución constructiva. Pero este campo está, se puede decir, todavía inexplorado. Hay un vacío en los conocimientos científicos de nuestro tiempo, un campo no explorado, una incógnita; es el proceso de formación de la personalidad.

El que haya persistido tal ignorancia, dentro del grado de civilización que hemos alcanzado, debe tener unas raíces misteriosas. Hay algo que ha debido quedar sepultado en el inconsciente, y encima de él se ha formado

una costra de prejuicios difícil de romper. Para iniciar
una exploración científica del inmenso campo oscuro,
que es el espíritu humano, hay que sobrepasar obstáculos poderosos. Solamente sabemos que existe en la psique humana un enigma que todavía no ha despertado
nuestro interés, como solamente sabíamos hasta hace
poco tiempo que en el Polo Sur de la Tierra existía una
inmensa extensión de hielos. Pero hoy se ha realizado la
exploración antártica y se ha descubierto un continente
sepultado, lleno de maravillas y de riquezas, con lagos
calientes y seres vivos enormes; pero para llegar allá se
ha tenido que vencer el obstáculo del espesor de los hielos
que lo recubren y el frío de un clima diferente del nuestro. Lo mismo se puede decir de la exploración de ese
polo de la vida, que es el niño.

El hombre en edades más avanzadas (niño, adolescen-
te, joven, adulto) llega a nosotros desde lo desconocido;
y juzgamos sus diversos aspectos tal como se nos presentan. Nuestros esfuerzos para orientar al hombre en
estas varias edades son, pues, empíricos, superficiales. Juzgamos, como agricultores desmañados, las apariencias,
los efectos, sin preocuparnos de las causas que los producen. Con razón Froebel llama «jardines de infancia» a
las escuelas de los niños de cuatro o cinco años de edad;
y nosotros podremos llamar con el mismo nombre a todas las escuelas, especialmente a las mejores, a aquellas
en las que con sinceridad se busca el bien y la felicidad
de los niños; las podremos llamar a todas ellas «jardines»
para distinguirlas de las otras donde reina una tiranía

cruel. Porque en ésas, en las más modernas y mejores, se comportan los maestros como los buenos jardineros y los buenos agricultores respecto de sus plantas.

Pero tras el buen agricultor, está el científico. El científico escudriña los secretos de la naturaleza y conquista, descubriéndolos, los conocimientos profundos que le pueden llevar no sólo a juzgarlos, sino incluso a transformarlos. El moderno agricultor, que multiplica la variedad de flores y de frutos, que mejora la floresta, que cambia, por así decir, la faz de la tierra, ha recogido sus principios técnicos de la ciencia y no de la rutina. Así esas flores maravillosas de fantástica belleza, esos claveles de tantos colores, esas soberbias orquídeas, esas rosas gigantescas, perfumadas y sin espinas, y tantos y tantos frutos y maravillas que han cambiado la faz de la tierra, son el producto del hombre que ha estudiado las plantas científicamente. La ciencia fue la que orientó hacia unas técnicas nuevas; fue el hombre científico quien dio el impulso para construir una verdadera *super-naturaleza* fantásticamente más rica y hermosa que la que hoy llamamos naturaleza salvaje

El estudio del Hombre

Si la ciencia empezara a estudiar a los hombres, llegaría no sólo a dar nuevas técnicas para la educación de los niños y jóvenes, sino que también nos llevaría a una comprensión profunda de muchos hechos humanos y sociales, que todavía están envueltos en una pavorosa oscuridad.

La base de la reforma educativa y social, necesaria en nuestros días, se debe levantar sobre el estudio científico del hombre desconocido.

Pero, como decía, hay un grande obstáculo para el estudio científico del hombre. Son los prejuicios acumulados durante miles de años, consolidados como glaciares majestuosos y casi inaccesibles. Por eso se impone una exploración valiente; una lucha contra los elementos adversos, para la cual no son suficientes las armas ordinarias de la ciencia, es decir la observación y el experimento.

Este estudio del hombre espiritual, de la psicología, es un movimiento intelectual que se está difundiendo desde los primeros años de este siglo. El descubrimiento del inconsciente ha sido un descubrimiento fecundo. Se inició en hombres adultos enfermos mentales, pero luego se extendió también a hombres considerados normales. Más recientemente la psicología infantil ha empezado a interesar a los científicos.

La conclusión a que han llegado estos estudios ha sido que casi todos los hombres que viven hoy tienen alguna tara, mientras las estadísticas resaltan de modo indiscutible la cantidad siempre creciente de locos y criminales y aumenta el número de niños difíciles y se agrava el fenómeno de la delincuencia de los menores, que hace pensar en los daños que de todo esto se deriva para la humanidad. Las condiciones sociales producidas por nuestra civilización obstaculizan evidentemente el desarrollo

normal del hombre. Todavía no ha creado ella para el
espíritu unas defensas análogas a las de la higiene física.
Mientras hoy se dominan y se utilizan las riquezas de la
tierra y sus energías, no se ha considerado aún la supre-
ma energía que es el entendimiento del hombre; mientras
se han explorado los oscuros abismos de las fuerzas naturales, no han sido iluminados aún los abismos del subs-
consciente del hombre. El hombre psíquico, abandonado
a las circunstancias externas, se está convirtiendo en un
destructor de sus propias construcciones.

Se puede, pues, idear un movimiento universal de reconstrucción con un objetivo único: ayudar al hombre
a conservar su equilibrio, su normalidad psíquica, su
orientación en las presentes circunstancias del mundo
exterior. Este movimiento no se limita a ninguna nación
ni a ninguna ideología política, puesto que quiere simplemente valorar al hombre, que es lo que esencialmente
interesa, por encima de todas las políticas y las diferencias nacionales.

Es evidente que para un movimiento nuevo de este
género no son ya suficientes las concepciones de las an-
tiguas escuelas, en las que se sigue enseñando del mismo
modo que en tiempos enteramente distintos de los nuestros.

La educación es un hecho social y humano, un hecho
de interés universal. Debe fundamentarse en la psicología,
para defender la individualidad, y luego debe orientarla
hacia la comprensión de la civilización, para que la personalidad, protegida de los desórdenes que la circundan,

haga al hombre consciente de su postura real en la historia. Evidentemente no es un «syllabus» o un programa arbitrario lo que informa la cultura actual: pero se necesita un «syllabus» que permita captar las condiciones del hombre en la sociedad presente: con una visión cósmica de la historia y de la evolución de la vida humana, ¿de qué serviría hoy la cultura, si no ayudara a los hombres a conocer el ambiente al que deben adaptarse?

Finalmente, los problemas de la educación se deben resolver teniendo en cuenta las leyes del orden cósmico, que abarcan desde la ley eterna de la construcción psíquica de la vida humana, a las leyes mudables que conducen a la sociedad por los caminos de su evolución sobre la tierra.

El respeto a las leyes cósmicas es un respeto fundamental. Sólo desde ellas se puede juzgar y modificar las numerosas leyes humanas que afectan al momento transitorio de las construcciones sociales externas.

Nuestro presente social

Es ya una frase común decir que existe un desequilibrio entre el milagroso progreso del ambiente y el atraso en el desarrollo del hombre; que el hombre recibe un gran choque al adaptarse al ambiente, y que en este choque sufre y se degrada. Se podría decir que las fuerzas del progreso exterior son semejantes a las fuerzas de un pueblo poderoso que invade y subyuga a un pueblo débil y, como sucedía en las guerras de los bárbaros, el subyugado queda convertido en esclavo.

Hoy la humanidad está vencida y esclavizada por su propio ambiente, porque frente a él se ha quedado débil. La esclavitud va creciendo rápidamente y adquiere unas formas que no se conocieron nunca en el pasado de las luchas entre pueblos poderosos y vencedores y pueblos débiles y vencidos. Nunca la impotencia humana alcanzó el grado extremo que tiene hoy.

¿No veis cómo nada está seguro? Las riquezas no se pueden salvar. El dinero que está en los bancos puede ser robado enteramente en cualquier momento. Si se le quiere acumular, escondiéndolo como se hacía en la Edad Media, amontonando las riquezas en escondites y sepultando los tesoros, el dinero puede perder todo su valor y ser retirado de la circulación. El dinero que se tiene en un Estado no puede ser sacado fuera; y una persona, por rica que sea, no puede vivir en otra nación, porque está prohibido llevar consigo dinero o joyas y se corre el peligro de ser registrados y despojados en los puestos fronterizos, como si la propiedad fuera un robo. Se puede viajar con pasaporte, que ya no es más que un estorbo para el individuo, y no una protección, como era en el pasado. En la propia patria es necesario ir provisto de un carnet de identidad con la fotografía y las huellas digitales. Y se ha dado el caso de no poder comprar ni lo puramente necesario para la vida a no ser adquiriendo de vez en cuando unas tarjetas sin las que no se podía conseguir ni siquiera el pan, cosa que solamente sucedía antes con los pobres que vivían de limosna. Nadie tiene segura su vida: puede ser puesta en peligro por una guerra absurda en la que todos —hombres, jóvenes, viejos, mujeres y niños— están en peligro de muerte. Las casas son bombardeadas y la gente tiene que refugiarse en subterráneos, como los hombres primitivos se refugiaban en las cavernas para defenderse de las bestias feroces. Puede desaparecer el alimento, y millones de hombres morir de hambre y de peste. Hombres andrajosos y desnudos, que mueren ateridos o helados por la intemperie. Las familias se dividen, se destrozan; los niños quedan abandonados y vagan en cuadrillas como salvajes.

Y esto no sucede sólo en pueblos vencidos en la guerra: sucede en todos. Es la misma humanidad la que está vencida y esclavizada. ¿Por qué esclavizada? Porque vencedores o vencidos, los hombres son todos esclavos, están inseguros, atemorizados, viven en sospecha y hostilidad, obligados a defenderse con el espionaje y el bandolerismo; aceptando y cultivando la inmoralidad como una forma de defensa. La estafa, el robo adquieren nuevos aspectos, y se convierten en el modo de sobrevivir allí donde las restricciones llegan al absurdo. La vileza, la prostitución, la violencia se convierten en formas habituales de existir. Se pierden los valores espirituales e intelectuales que antes honraban a los hombres. Los estudios son áridos, fatigosos, sin altura: tienen la única finalidad de ayudar a encontrar un trabajo, que a pesar de todo es incierto e inseguro.

Impresiona ver que esta humanidad, que yace en una

esclavitud sin nombre, grita, como un estribillo estereoti-
pado, que ella es libre o independiente. Este miserable
pueblo degradado clama que es soberano. ¿Qué es lo que
buscan estos infelices? Buscan como bien supremo lo
que llaman democracia: es decir, que el pueblo pueda
expresar su opinión acerca del modo como es gobernado,
que pueda emitir el voto en las elecciones.

Pero ¿qué es el voto, sino una ironía? ¡Elegir al gobernante! Y el gobernante no puede liberar a nadie de las
cadenas que atan a todos, que privan de toda actividad,
de toda iniciativa, de todo poder de salvarse.

Es un dueño misterioso; un tirano omnipotente, como
un dios. Es el ambiente que engulle y tritura al hombre.

El otro día un joven panadero, que estaba trabajando
en una gran máquina de fabricar pan, fue apresado por
una mano entre los engranajes, y luego éstos aferraron
todo el cuerpo y lo trituraron. ¿No es esto un símbolo
de las condiciones en las que languidece esta humanidad
inconsciente y víctima de su destino? Podemos comparar
al ambiente con esa máquina colosal, capaz de producir
cantidades fabulosas de alimento; y el obrero arrastrado
representa a la humanidad no preparada e imprudente,
que es apresada y triturada por lo que debería darle la
abundancia. Tenemos aquí un aspecto del desequilibrio
entre el hombre y el ambiente, del que tiene que liberarse
la humanidad, fortaleciéndose a sí misma, desarrollando
los propios valores, curándose de su locura y siendo consciente del propio poder.

Es necesario que el hombre aúne todos sus valores

vitales, sus energías; que los desarrolle y se prepare para su liberación. No es ya tiempo de luchar unos contra otros, de buscar el arrollarse mutuamente; hay que contemplar al hombre sólo con la mira de elevarlo, de despojarlo de los lazos inútiles que se está fabricando y que lo arrastran hacia el abismo de la locura. La fuerza enemiga está en la impotencia del hombre respecto de sus mismos productos, está en frenar el desarrollo de la humanidad. Bastaría, para vencerla, que el hombre reaccionase y se comportase con una preparación diversa frente al ambiente, que por sí mismo es productor de riquezas y de felicidad.

Se trata de una revolución universal, que solamente exige que el hombre ensalce sus propios valores, y se convierta en el dominador, en vez de ser la víctima del ambiente que él mismo ha creado.

El cometido de la nueva educación

Puede parecer que nos hemos alejado de la primera cuestión, que era la educación. Pero esta divagación nos abre los nuevos caminos que ahora necesitamos recorrer.

Así como se ayuda a un enfermo en el hospital para que recupere la salud y pueda continuar viviendo, así hoy hay que ayudar a la humanidad a salvarse. Nosotros tenemos que ser los enfermeros en este hospital, inmenso como el mundo.

Es necesario caer en la cuenta de que el problema no

se limita a las escuelas, tal como son concebidas hoy y no afecta a métodos de educación, más o menos prácticos, más o menos filosóficos.

O la educación contribuye a un movimiento de liberación universal, indicando el modo de defender y elevar a la humanidad, o se convierte en uno de esos órganos que han quedado atrofiados al no ser usados durante la evolución del organismo.

Existe en nuestros días, como decíamos, un movimiento científico del todo nuevo, que se presenta con resultados aún inconexos, pero que tiende ciertamente a unificarse en el futuro.

Sin embargo este movimiento no se da propiamente dentro del campo de la educación, sino en el de la psicología. Y, dentro de la psicología, no ha surgido por una preocupación pedagógica (conocer al hombre para educarlo), sino más bien por una preocupación de salir al encuentro de los sufrimientos y de las anomalías de los hombres, especialmente de los adultos. La nueva psicología ha nacido dentro del campo de la medicina, y no en el de la educación. Esta psicología de la humanidad enferma se extiende también a los niños, que se presentan inquietos, desdichados, con sus energías vitales reprimidas y desviadas de la normalidad.

De todos modos, éste es el movimiento científico que está naciendo con el fin de poner alguna barrera al mal que lo inunda todo, y algún remedio a los espíritus confusos y desorientados. Y a este movimiento hay que enganchar la educación.

Creedme: las tentativas de la llamada educación moderna que intentan sin más liberar a los niños de supuestas represiones, no van por buen camino. El dejar hacer a los escolares aquello que quieren, entretenerlos con ocupaciones ligeras, hacerles volver como a un estado de naturaleza salvaje, no es suficiente. No se trata de «liberar» de algunas ataduras, se trata de *reconstruir;* y la reconstrucción exige la elaboración de una «ciencia del espíritu humano». Es una labor paciente, una labor de investigación, a la que deben contribuir miles de personas dedicadas a este objetivo.

Quien trabaje en esta reconstrucción debe ir impulsado por una idea grande, más grande que aquellos ideales políticos que han promovido mejoras sociales porque tenían a la vista la vida material de algún grupo de hombres oprimidos en la injusticia y en la miseria.

Aquí el ideal es universal: es la liberación de toda la humanidad. Y se necesita mucha labor paciente en este camino de liberación y valoración del hombre.

¡Mirad cuántos, en el campo de las otras ciencias, trabajan encerrados en sus laboratorios, observando al microscopio las células y descubriendo las maravillas de la vida; cuántos ensayan en los gabinetes de química las reacciones, descubriendo los secretos de la materia; cuántos trabajan para aislar las energías cósmicas con el fin de dominarlas y poder utilizarlas! Ahora bien, estos incontables trabajadores pacientes y sinceros son los que han hecho avanzar la civilización.

Algo semejante, como ya hemos dicho, hay que hacer

también con el hombre. Pero el ideal, el fin que hay que proponerse debe ser común a todos. Deberá poder realizar aquel dicho que, a propósito del hombre, se encuentra en los libros religiosos: «Specie tua et pulchritudine tua intende, prospere procede et regna», y que podíamos parafrasear así: «Compréndete a ti mismo, tu hermosura; avanza prósperamente en tu ambiente, rico y lleno de milagros; y reina sobre él.»

Pero se dirá: «Sí, esto es hermoso, fascinante, pero ¿no veis cómo entretanto, en derredor, crecen los niños, y los jóvenes se hacen hombres? No se puede esperar a una elaboración científica, porque mientras tanto la humanidad será destruida.»

Yo respondo: «No es necesario esperar a que el trabajo de investigación se haya completado. Basta con comprender la idea y proceder según sus indicaciones.»

De todas formas, una cosa es ya clara: la pedagogía no debe estar dirigida, como en el pasado, por las ideas que habían fabricado algunos filósofos y algunos filántropos, es decir algunos que estaban impulsados por su piedad, por su simpatía, por su caridad. La pedagogía debe resurgir bajo la guía de la psicología, de esta psicología aplicada a la educación, a la que conviene darle pronto un nombre diverso: *Psicopedagogía*.

En este campo se obtendrán muchos descubrimientos. Es indudable que, si el hombre ahora está desconocido y reprimido, su liberación vital ofrecerá revelaciones asombrosas. Y la educación deberá proceder en función de estas revelaciones; del mismo modo que la medicina común se basa en la «vis medicatrix naturae», en las fuerzas curativas que ya están en la naturaleza, y la higiene se basa en los conocimientos de la fisiología, es decir en las funciones naturales del cuerpo.

Ayudar a la vida: es el primer principio fundamental.

Ahora bien, ¿quién puede revelarnos las vías naturales por las que marcha el crecimiento psíquico del individuo humano, sino el mismo niño en condiciones de manifestarse? Así pues, nuestro primer maestro será el mismo niño, o mejor, el impulso vital con las leyes cósmicas que le conducen inconscientemente: no lo que nosotros llamamos «la voluntad del niño», sino el misterioso querer que dirige su formación.

Yo puedo afirmar que las revelaciones del niño no son difíciles de obtener. La verdadera dificultad reside en los prejuicios antiguos del adulto hacia el niño, en la ciega incomprensión y en los velos que una forma de educación, arbitraria y basada sólo sobre el raciocinio humano, o mejor sobre el egoísmo inconsciente del hombre y sobre su soberbia de dominador, ha venido tejiendo para ocultar los valores de la sabia naturaleza.

Nuestra contribución, aunque pequeña, incompleta todavía, y considerada insignificante en el campo científico de la psicología, servirá sin embargo para ilustrar este enorme obstáculo de los prejuicios, que pueden borrar y destruir las aportaciones de nuestra experiencia aislada.

Si lográramos sólo probar la existencia de estos prejuicios, habríamos aportado ya un beneficio de importancia general.

1

LA REVELACIÓN DEL ORDEN NATURAL EN LOS NIÑOS Y SUS OBSTÁCULOS

Revelaciones y obstáculos

Recordemos cómo empezó nuestro estudio. Hace unos cuarenta años en un grupo de niños de cuatro años se manifestó un fenómeno inesperado que maravilló a todos. Este fenómeno fue llamado «la explosión de la escritura». Algunos niños comenzaron espontáneamente a escribir; esto se propagó rápidamente a un gran número de ellos. Fue una verdadera explosión de actividad y a la vez de entusiasmo. Aquellos pequeños llevaban, como en una especie de procesión triunfal, el alfabeto, dando gritos de alegría. Eran infatigables escribiendo: cubrían los suelos, las paredes con su escritura irrefrenable. Sus progresos fueron fantásticos, milagrosos. E inmediatamente después ellos, por sí solos, aprendieron a leer diversas escrituras, cursiva e impresa, en letras minúsculas y mayúsculas, e incluso escrituras especiales, artísticas y góticas.

Examinemos un momento esta primera revelación. Era evidentemente una revelación de orden psicológico y bastante poderosa como para reclamar entonces la atención del mundo. Era una especie de milagro.

Y sin embargo, ¿cuál fue la reacción, especialmente de los científicos de la época?

La escritura milagrosa no se atribuyó a un hecho psíquico, sino a un «método de educación».

Escritura y naturaleza no se podían juntar. La escritura es, en general, la consecuencia de una paciente e ingrata preparación en las escuelas, es un recuerdo de esfuerzos áridos y de fatigas soportadas, de castigos impuestos, de tormentos, para todo el que no sea un analfabeto. Y tenía que ser un método verdaderamente maravilloso aquel que había conseguido unos resultados tan brillantes, en una edad precoz. Se suscitó la curiosidad en torno a este método educativo que ofrecía la prueba de haber encontrado finalmente un medio para vencer rápidamente el analfabetismo, que más o menos seguía estando en los pueblos, aun en los más civilizados.

Cuando vinieron algunos profesores de las Universidades de los Estados Unidos de América para estudiar personalmente este método, yo no contaba con otro material que mostrarles que las letras del alfabeto separadas una de otra, letras que tenían la forma de objetos manejables, movibles, de una dimensión más bien grande.

Algunos de estos profesores se molestaron, y creyeron que yo me reía de ellos, sin respeto a su dignidad. En las altas esferas se empezó a decir que todo aquello no era nada serio, que hablar de milagros era una mixtificación. Al ver después que, en vez de los libros ordinarios, yo empleaba «objetos», que podían ser comprados o vendidos, se tuvo miedo de caer en una comercialización. Una especie de amor propio alejó de la atención de los grandes esta manifestación, que sin embargo estaba unida a una incógnita del orden psicológico. Y así surgió un obstáculo, *una barrera insuperable entre aquella experiencia iluminadora y las personas que pertenecían a las altas esferas de la cultura,* aquellas que por su cultura superior habrían podido descifrarla y utilizarla.

Expongamos otros tipos de prejuicio.

Los niños pequeños que escribían incansablemente eran una realidad que centenares y millares de personas podían constatar. Muchas personas tuvieron que convencerse de que las letras del alfabeto estaban allí, aisladas, sin más, y que ningún maestro se esforzaba por enseñar a escribir: los niños hacían estos progresos por sí solos. A alguno le pasó por el pensamiento que todo el secreto estaba en haber ideado convertir las letras del alfabeto en objetos aislados y movibles. ¡Qué descubrimiento tan simple y genial! ¿Por qué —decían muchos con amargura—, por qué no lo he ideado yo? Pero, dijo alguien, en realidad no se trata de un descubrimiento. Ya en la antigüedad Quintiliano había usado un alfabeto móvil de este tipo. Y así, en el caso de que yo hubiera pretendido presentarme como una genial inventora, habría sido desenmascarada.

Es curioso, sin embargo, constatar esa inercia mental tan difundida, que se quedaba sólo en lo externo, sin tener la posibilidad, por así decir, de ir adelante y pensar en cambio en algún nuevo hecho psicológico que tuviera referencia con el niño: era una verdadera barrera mental común a todos, cultos e incultos.

Y hubiera sido tan simple pensar: si la historia recuerda todavía el alfabeto móvil de Quintiliano, debería también recordar las reacciones que provocó. ¿Se produjeron procesiones de gente entusiasmada, loca de alegría, que recorrieron las calles de Roma llevando estandartes con las letras del alfabeto? ¿Aprendió el pueblo, ante aquel contacto mágico, por sí solo y se llenaron las vías de Roma y las paredes de las casas de palabras escritas? ¿Aprendieron todos a leer por sí solos, no solamente las letras romanas, sino también las griegas?...

Sin duda que la historia habría registrado estos hechos imponentes. En cambio no; recuerda solamente las letras que tienen un influjo mágico; la magia no está en las letras sino que reside en la psicología del niño. Pero entonces nadie llegó a admitirlo. Aquel prejuicio de «no creer en lo extraordinario», la vergüenza de aparecer crédulo para quien quiere mantener su dignidad y superioridad cultural, es corriente; y es uno de los obstáculos que ocultan lo «nuevo» e inutilizan un descubrimiento.

Un descubrimiento, para ser tal, tiene que contener alguna cosa nueva. Y la cosa nueva es una puerta abierta para quien tiene la valentía de atravesarla: una puerta por la que se tiene acceso a campos todavía no explorados; por tanto una puerta fantástica, maravillosa, que debería herir la imaginación. Y son, verdaderamente, los hombres de cultura superior los que deberían convertirse lógicamente en exploradores de estos campos. Pero una barrera mental, emocional, está allí, para las gentes serias que han perdido ya el gusto de las «fairy tales» de la naturaleza; es raro hallar una excepción de esta regla. Ya el conocido banquete del Evangelio expresa este hecho eterno, de manera simbólica: se requiere un cierto grado de «sencillez», de «pobreza» para entrar en los nuevos reinos.

Una anécdota, que se podría referir en parte a este hecho, la encontramos en los «milagros» de los caballos de Elberfeld, que conseguían expresarse por medio de un alfabeto y hacer cálculos matemáticos. Afluyó el público, gente corriente y también científicos. Pero el Dr. Pfungst, alumno del Laboratorio de psicología de Berlín, dio su opinión: los experimentos de los caballos eran un hecho de amaestramiento y no tenían nada que ver con la supuesta inteligencia de los caballos. Así desapareció todo el interés, y los científicos, que antes se habían preocupado, se retiraron; y el viejo von Osten, que había hecho el descubrimiento en sus queridos caballos, murió humillado. Sin embargo, después de él, el joven Kroll repitió los mismos experimentos con los caballos de von Osten y con otros caballos, que llegaron más lejos en el camino de los «milagros psíquicos», especialmente en las matemáticas. Entonces los científicos se animaron y los reconocieron muchos de ellos, que, aunque no se explicaban bien el fenómeno, lo admitían en el campo de la psicología. Así lo hicieron Kraemer y Ziegler de Stuttgart, el profesor Beredka del Instituto Pasteur, el Dr. Claparède de la Universidad de Ginebra, Freudenberg de Bruselas, y muchos otros.

Pero hay que advertir que se trataba solamente de caballos. Sobre los niños existen demasiados prejuicios acumulados y desanimados intereses prácticos: quiero decir sobre todo el interés por evitar a los niños los «esfuerzos mentales» y los «precoces trabajos intelectuales». Los niños son para todos unos seres vacíos a los que les conviene solamente jugar, dormir y distraerse con cuentos fantásticos; un trabajo mental serio en los niños tan tiernos parece un sacrilegio. Y sobre todo después de las insistentes publicaciones de la señora Bühler, esposa del conocido psicólogo de Viena, autorizada erudita ella también en psicología experimental. La señora Bühler llegó a la conclusión de que las facultades mentales de los niños, antes de los cinco años, son absolutamente negativas para toda forma de cultura. Y así se echó, en nombre de la ciencia, una especie de losa sepulcral sobre nuestros experimentos.

Se atribuyeron únicamente a un «método de educación», por lo demás inseguro y discutible. A partir de entonces las críticas se sucedieron vertiginosamente; se

dijo en primer lugar que no había que «sacrificar la vida
mental de los niños pequeños, para obtener resultados
inútiles», porque un poco más tarde, después de los seis
años de edad, todos pueden aprender a leer y escribir, y
ya se sabe con cuánto esfuerzo y sacrificio. ¡Es necesario
evitar en la primera infancia todo trabajo duro de estudio!
¡Claparède, gran autoridad en la pedagogía, describió por
cuenta de la *New Education Fellowship* los males que se
producen en los escolares por efecto del estudio en las
escuelas! «Es verdad», dice poco más o menos Claparède,
«que en nuestra civilización es necesario estudiar, pero
si el estudiar produce en los niños un mal, hay que dañar-
les lo menos posible!» De esta forma las nuevas escuelas
buscaron el modo de eliminar, y obtener que poco a poco
fueran eliminados, de los programas muchos estudios no
necesarios, como la geometría, la gramática, gran parte
de las matemáticas, etc., sustituyéndolos por juegos y vida
al aire libre.

Y el mundo oficial de la educación, también él, se apar-
tó de nuestro trabajo. Las maestras que aprendieron con
nosotros fueron al principio en gran parte personas dedicadas a la educación en los parvularios froebelianos;
unieron los juegos de Froebel con nuestro material científico de desarrollo mental y llegaron a la conclusión de
que en los dos hay cosas buenas, a condición sin embargo
de que no se introduzca el alfabeto, la escritura o las matemáticas en las escuelas de los niños de tierna edad.

Luego fueron las maestras de las clases elementales
las que intentaron el experimento con el alfabeto, pero

no lograron provocar ningún entusiasmo, ninguna «explosión». Solamente las escuelas comunales no tuvieron en cuenta un método más libre de estudiar y de dar ocupaciones individuales y objetivas.

El «milagro» fue oficialmente olvidado. No llegó a interesar a la psicología moderna. Me quedó a mí el trabajo de indagar los secretos de la psicología infantil manifestados en este experimento, porque nadie mejor que yo podía «aislar» aquellos hechos reales de los influjos educativos que podían haberlos provocado. Era evidente para mí que «alguna energía», especial en los niños de esa edad, se había manifestado y por tanto existía.

Incluso si la experiencia se hubiera limitado solamente al primer grupo de niños, el hecho representaba un descubrimiento de poderes, que antes estaban ocultos en la psique infantil.

¿No pareció por ventura un milagro, o mejor algo extraño, lo ocurrido a Galvani, que vio moverse las ranas muertas y descuartizadas, atadas a la barandilla de hierro de su ventana? Si él hubiera pensado que se trataba de un «milagro de resurrección» o de una ilusión óptica, se habría desvanecido la insistente pregunta de su inteligencia investigadora: si las ranas muertas se mueven, es porque debe haber una «energía» que las hace moverse; y así descubrió la electricidad.

El desarrollo de la electricidad y sus aplicaciones han ido muy lejos desde aquel primer fenómeno manifestativo.

Pero si alguien hubiera querido repetir el experimento

literalmente para probarlo y no hubiera obtenido el «milagro», habría creído que ya tenía las pruebas de una ilusión, indigna de entrar en el campo de la ciencia.

Revelaciones anteriores

No fueron nuestros niños los primeros en manifestar energías psíquicas que generalmente están ocultas; pero sí fueron los más pequeños. Manifestaciones precedentes se habían obtenido en niños de edad mucho más avanzada, es decir de siete años en adelante. La historia de la pedagogía cuenta, en realidad, los «milagros» de la escuela de Pestalozzi, en Stans. De pronto sus niños entraron como en una atmósfera nueva de progreso imprevisto. Los niños hacían cosas superiores a su edad; algunos demostraron en matemáticas progresos tales que los padres retiraron de la escuela pestalozziana a sus hijos por miedo a que se fatigaran mentalmente. Pestalozzi, al describir el trabajo espontáneo, infatigable, seguido de prodigiosos progresos, hace una elocuente confesión, desde el momento que él era «extraño» a aquellos fenómenos maravillosos: «Yo era solamente un espectador asombrado.»

Luego la llama se extinguió, y con la benevolencia y los cuidados cariñosos de Pestalozzi, todo volvió a la normalidad. Ahora bien, es interesante saber qué pensaron sus admiradores, y especialmente los suizos que están tan orgullosos de él. Todos ellos juzgaron el fenómeno de

Stans como un período de locura de su héroe, y se alegraron de que supiera volver a un «trabajo serio».

También Tolstoi describe algo parecido en los niños campesinos, que él educaba con tanto entusiasmo y bondad en la escuela de Isnaia Poliana. De repente aquellos niños se apasionaron por leer la Biblia y venían de mañana a la escuela antes de lo acostumbrado, para leerla incansablemente ellos solos, demostrando una alegría que no habían manifestado nunca antes. También aquí Tolstoi experimentó una «vuelta a la normalidad».

¡Y cuántos hechos semejantes se habrán repetido durante la vida de los niños, que no se conocen porque no tuvieron cerca a nadie que pudiera inmortalizarlos en la historia de la pedagogía!

La forma mental de la infancia

Hay, pues, una energía interior que tiende a manifestarse por sí misma; pero permanece sepultada bajo las barreras del prejuicio universal. Hay una *forma mental* de la infancia que no ha sido reconocida nunca.

Era, en realidad, una «forma mental», y no sólo el fenómeno explosivo de la escritura, lo que se reveló en mis niños de la primera escuela de S. Lorenzo.

Ocurría que, al dictarles yo palabras muy largas e incluso en lengua extranjera, ellos las reproducían fonéticamente con el alfabeto móvil, habiéndolas oído pronunciar sólo una vez. Todos cuantos han leído mis libros conocen estos fenómenos. Dictábamos por ejemplo palabras como «Darmstadt», «Sangiaccato di Novi Bazar», «precipitevolissimevolmente», etc.

¿Qué era lo que fijaba en las mentes de los niños aquellas palabras complicadas, de modo que ellos parecían retenerlas en la mente con seguridad, como si hubieran sido esculpidas allí? Y lo más maravilloso era su calma y sencillez, como si no hicieran ningún esfuerzo. Ellos, hay que tenerlo en cuenta, no escribían, pero debían buscar cada letra en las diversas casillas del alfabeto. La búsqueda, nada fácil, del lugar de la letra y el apoderarse de aquel objeto, para ponerlo a continuación de las otras letras ya colocadas y completar las palabras, habría distraído la atención de cualquiera de nosotros.

Este hecho dejó maravillados especialmente a los técnicos de la educación básica, porque es sabido lo difícil que es el dictado en las escuelas elementales, y es sabido cuántas veces una buena maestra tiene que repetir la palabra mientras el niño la escribe, incluso cuando el niño tiene ocho o más años de edad. La causa está en que, mientras escribe, el niño olvida; por eso al principio el dictado es sólo de palabras cortas y conocidas.

Recordamos la famosa anécdota del inspector Di Donato. Llegó a visitar la escuela con aspecto severo, como un hombre bien precavido contra las posibles mixtificaciones. No quiso dictar palabras largas y difíciles, bajo las cuales podía esconderse algún truco. Dictó sencillamente su nombre, Di Donato, a un niño de cuatro años. Éste evidentemente no captó bien la pronunciación: en-

tendió «Ditonato» y comenzó poniendo como tercera letra una «t». El inspector, fiel a sus métodos educativos,
corrigió rápido repitiendo más claramente el nombre:
Di Donato. El niño no se inmutó; para él evidentemente
no se trataba de una corrección o de un error, sino sólo
de no haber oído bien. Tomó la «t» y en vez de devolverla
a la casilla del alfabeto, la dejó a un lado sobre la mesita.
Compuso con tranquilidad el nombre y cuando llegó al
final utilizó la «t» que había dejado a un lado. Por tanto
el nombre estaba impreso por entero en su mente; la inte-
rrupción no había ocasionado ninguna dificultad. Él sabía
desde el principio que era necesaria una «t» para completar el nombre. Fue esto lo que impresionó vivamente al
inspector. «El error ha sido la prueba más elocuente de
la verdad. Confieso que no creía en este hecho sorprendente; pero ahora quedo convencido. Debo decir: «¡Increí-
ble, pero es verdad!» Luego, sin preocuparse por elogiar
al niño, como se había preocupado por corregirle, se di-
rigió a mí: «¡La felicito! Es verdaderamente un método
digno de tenerse en cuenta. Hay que aplicarlo en las escuelas.» Desde luego, para un técnico de la educación sólo
podía existir un «método mejor o peor». El hecho psicológico permanecería fuera. La barrera del prejuicio de un
educador hacía imposible la comprensión del fenómeno.
Cuando se marchaba, iba pensando y diciendo: «Con los
métodos ordinarios, ni siquiera un niño de nueve años
habría podido hacer esto.» El cumplido iba por mí.

Y sin embargo se trataba de un hecho de memoria.
La idea de que pudiera existir una forma de memoria,

diversa de la de los niños mayores, era algo inconcebible. ¡El niño pequeño tiene que tener una memoria más débil que la de un niño mayor, que tenga cinco años más!

Pero ¿qué es lo que había en aquella memoria del niño pequeño? Evidentemente en su mente se esculpía la palabra con todos los detalles de los sonidos que la componían y por su orden. La palabra se esculpía, permanecía toda entera en la mente, nada podía borrarla. Esa memoria tenía una cualidad diversa; introducía en la mente una especie de visión, y el niño copiaba con seguridad la visión clara y fija.

El Mneme

¿Puede existir una memoria diferente de la de nuestra mente consciente y desarrollada?

Cuando hoy los psicólogos modernos consideran otra forma de memoria en el inconsciente, que puede fijarse incluso a través de las generaciones, reproduciendo minuciosamente los caracteres de la especie, le han querido dar un nombre distinto: *Mneme*. El mneme, en sus infinitos grados, se abisma en los mismos hechos de la vida y de la eternidad. Después de esta constatación, se podría reconocer en la mente del niño de cuatro años una fase de desarrollo psíquico en el que el mneme se encuentra precisamente en el umbral de la memoria consciente, hasta llegar a confundirse con ella, manifestándose sin embargo como el último carácter de un fenómeno que tiene profundas raíces.

Este último rasgo del mneme procedía de muy lejos, y estaba unido a las fuerzas creadoras del lenguaje. El lenguaje materno se había ya formado en el inconsciente y con procedimientos diversos de los de la mente consciente. Ese es el lenguaje que se fija en la personalidad, como un carácter de la raza, y es diferente de los lenguajes extranjeros que se pueden conseguir con la ayuda de la memoria consciente: lenguajes siempre imperfectos, que sólo se mantienen a base de un ejercicio continuo.

Está claro que las letras movibles representaban un objeto relativo a los sonidos fijados en la mente del niño y sacaban afuera, al mundo exterior, el lenguaje de manera sensible. El interés demostrado por la escritura provenía de dentro; estaba todavía vibrando una sensibilidad creadora, como aquella destinada por la naturaleza a fijar el lenguaje hablado en el hombre; y era esta sensibilidad la que suscitaba el entusiasmo por el alfabeto.

El alfabeto italiano contiene solamente veintiún sonidos, y todas las palabras, infinitas hasta el punto de no poder ser contenidas en un voluminoso diccionario, se pueden componer con esas veintiuna letras. Era suficiente para representar el patrimonio de palabras que el niño había acumulado durante su desarrollo; era suficiente para producir, como de repente, una explosión hacia el exterior de todo el lenguaje acumulado; y el niño vivía con alegría su milagro.

La disciplina

Examinemos otro tipo de prejuicios, que ofrecieron un gran obstáculo a la comprensión de nuestro trabajo.

Recordemos las cuestiones sobre la «disciplina»: es decir, el fenómeno estupendo ofrecido por aquellos niños pequeños, que, dejados en libertad para elegir sus ocupaciones, para realizar sin molestarse sus propios ejercicios, se quedaban ordenados y silenciosos.

Ellos eran capaces de quedarse así todo el tiempo, incluso cuando la maestra estaba ausente. La conducta colectiva de armonía social, y la cualidad de su carácter, sin envidia, sin competencia, pero que les llevaba en cambio a ayudarse mutuamente, provocaba admiración. Ellos *amaban el silencio,* y lo buscaban como un verdadero placer. La obediencia se desarrollaba en grados sucesivos de perfección, llegando incluso a una «obediencia realizada con alegría», yo diría que con ansia de obedecer: semejante en mucho a la de los perros, cuando su dueño les tira lejos un objeto para que lo vayan a buscar.

La acción de la maestra no contribuía en nada a conseguir este extraño fenómeno. No era, pues, consecuencia directa de la educación; y porque no había ni enseñanzas, ni exhortaciones, ni premios, ni castigos, todo ocurría espontáneamente.

Y sin embargo este hecho inusitado tenía que tener alguna causa, estar producido por algún influjo. A quien me pedía explicación, yo solamente le podía responder:

«Es la libertad», como para la explosión de la escritura había respondido: «Es el alfabeto móvil».

Recuerdo que un ministro del Gobierno, sin tener demasiado en cuenta el hecho de la espontaneidad, me dijo: «Usted ha resuelto un gran problema: ha sabido juntar disciplina y libertad. Éste no es un problema que afecte al gobierno de las escuelas, es un problema que afecta al gobierno de las naciones.»

Evidentemente, también en este caso se sobreentendía que *yo* había tenido el poder de conseguir tales resultados. Yo había resuelto un problema. En la mentalidad de la gente era, pues, imposible concebir esta otra idea: «de la naturaleza de los niños puede provenir la solución de un problema que es insoluble para nosotros; de ellos procede la fusión de cosas que para nosotros están encontradas.»

Hubiera sido justo decir: «¡Estudiemos, pues, estos fenómenos! ¡Trabajemos juntos para penetrar en los secretos de la psique humana!» Pero que del interior del alma infantil se pudiera sacar algo nuevo, útil para todos nosotros, alguna luz sobre los hechos oscuros de la conducta humana, esto no era comprensible.

Es interesante recordar las opiniones y las críticas que surgieron por todas partes: por parte de los filósofos, de los pedagogos y de personas sencillas.

Algunas de éstas últimas me tomaron sencillamente por una inconsciente: «¡Usted no sabe lo que ha hecho; no se ha dado cuenta de que ha realizado una grande obra!» Otros decían, como si estas cosas constituyeran un

cuento fantástico o un sueño que yo hubiera fabricado:
«¿Cómo puede ser tan optimista respecto de la naturaleza
humana?» Pero la oposición principal, que no ha cesado
todavía, vino de parte de los filósofos y de los religiosos,
quienes atribuyeron los hechos, que habían constatado
tantos centenares de personas, a opiniones mías. Para
algunos yo era una seguidora de Rousseau, me había ali-
neado con su pensamiento, creyendo que «todo es bueno
en el hombre, pero todo se estropea al contacto con la
sociedad», y que había construido, en las escuelas, una
especie de novela, como Rousseau la había construido
sobre un libro.

Incluso discutiendo conmigo no se lograba conseguir
ninguna clara explicación o convicción: una persona co-
nocida escribió en un diario muy serio: «¡Montessori es
una pobre filósofa!»

Para los religiosos yo iba casi contra la fe y muchos
se me acercaron para explicarme el «pecado original».
¡Podéis imaginaros lo que deberían pensar los calvinistas,
o, en general, los protestantes convencidos de la maldad
innata del hombre!

Además de los principios de la filosofía relativos a la
naturaleza del alma humana, yo ofendía también los principios de la técnica en la educación escolástica. Se ha-
blaba de mi enseñanza como de un método apriorístico,
que «abolía» los premios y castigos, proponiendo conseguir la disciplina sin estas ayudas prácticas. Lo juzgaron
como un «absurdo» pedagógico e incluso en contradic-
ción con las experiencias prácticas universales; más aún,

como un sacrilegio, pues está dicho que Dios premia a
los buenos y castiga a los malos, y esto es el principal
sostén de la moralidad.

Un grupo de maestros ingleses presentaron una pro-
testa pública, declarando que si se abolían los castigos,
ellos dimitirían de su cargo, porque no podían educar
sin castigos.

¡Los castigos! No había caído en la cuenta de que fueran una institución indispensable, dominante sobre la vida
de toda la humanidad infantil. Todos los hombres han
crecido bajo esta humillación.

Sobre los castigos se realizó una encuesta por la Liga
de las Naciones de Ginebra, y el Instituto J.-J. Rousseau
organizó la encuesta en nombre de la *New Education Fellowship*. Se preguntó a las instituciones de educación y
a las casas particulares «qué tipo de castigos empleaban
para educar a los niños». Es curioso que, en vez de molestarse por una pregunta indiscreta, todos se apresuraron
a dar sus informaciones, y algunas instituciones parecían
orgullosas por sus métodos de castigo. Algunos, por ejemplo, dijeron que tenían prohibido el castigo inmediato,
para que no se aplicara bajo un sentimiento de ira; pero
las faltas eran diligentemente anotadas y en el *week-end*,
el sábado, día de descanso, se aplicaba fríamente la dosis
de castigo merecida durante toda la semana. Algunas familias dijeron: «Nosotros no somos violentos: cuando
el niño es malo, lo mandamos a la cama sin cenar.»

Sin embargo no hay duda de que el castigo violento
estaba muy en boga: bofetadas, insultos, palos, encierros,

sustos terribles imaginarios. La lista que llegó a la Liga
de las Naciones, en nuestro siglo, era aún la continuación
del dicho sapiencial de Salomón: «Quien no emplea el
palo con su hijo, es un mal padre, porque condena al hijo
al infierno.»

Yo pude comprar en Londres unos látigos, que se ven-
dían en manojitos y que eran empleados todavía por los
maestros, aunque su uso venía del pasado.

La necesidad de estos «medios indispensables» para
la educación demuestra que la vida de los niños no fue
ni es democrática, ni la dignidad humana es respetada.
Desde la antigüedad se ha incrustado una barrera más
aún en el corazón que en la mente del adulto: las fuerzas
interiores del niño no han sido nunca vistas ni del lado
intelectual ni del moral.

En mis experiencias, la revelación de estas descono-
cidas fuerzas interiores había eliminado los castigos. Pero
todo esto, al aparecer de repente, en una súbita revelación, resultaba incomprensible y provocaba el escándalo.

Dejadme hacer una comparación clarificadora: cuando se señala a un perro, con el índice extendido, un objeto para que vaya a cogerlo, el perro mira fijamente al
índice, no al objeto señalado. Sería más fácil que al final
el perro mordiera aquel dedo en vez de comprender que
ha de ir, en la dirección que se le señala, a recoger el objeto. La barrera de los prejuicios actuaba del mismo
modo. La gente veía en mí el índice indicador y terminaba
por mordérmelo.

Resultaba imposible aceptar sencillamente unos hechos evidentes. Tenían que ser obra de alguna persona que los había producido o los había imaginado.

Por eso hablamos de un punto ciego en el corazón del hombre que, sin embargo, sabe comprender tantas cosas, análogo al punto ciego que está en el fondo de la retina, que es el órgano que ve todas las demás cosas. La visión moral del niño caía «en el punto ciego» del corazón: caía sobre una barrera de hielos.

Y hablamos de una «página blanca» en la historia de la humanidad, es decir una página que no ha sido escrita: la que se refiere al niño.

En los colosales e innumerables volúmenes de la historia de los hombres, no aparece nunca el niño; nunca se tiene en cuenta al niño en la política, en las realizaciones sociales, en la guerra, o en la reconstrucción. El adulto habla como si solamente existiera el adulto. El niño forma parte de la vida privada, y es un objeto que exige deberes y sacrificios a los adultos y merece castigos cuando molesta. Al soñar con un Paraíso Terrenal en el mundo futuro, con una nueva sociedad mejor, el adulto ve sólo a Adán y Eva y la serpiente: en el Paraíso Terrenal no está el niño.

Que de él nos pueda venir una ayuda, una luz, una enseñanza, una nueva visión, la solución de problemas enmarañados, esto no ha penetrado todavía en la mentalidad social. Ni siquiera los psicólogos ven en el niño la puerta abierta para penetrar en el subconsciente, que ellos andan intentando descubrir y descifrar sólo a través de las enfermedades del hombre adulto.

Orden y bondad

Ahora bien, para volver a las barreras morales, había que ver sencillamente el hecho de la disciplina espontánea y de la conducta social de los niños, tan maravillosamente delicada, segura y perfecta.

Cuando contemplamos las estrellas que lucen en el firmamento, tan fieles a su trayectoria, tan misteriosamente sostenidas allá arriba, no pensamos: «¡Oh, qué buenas son las estrellas!»; sino que decimos solamente: «Las estrellas obedecen a las leyes que rigen el universo»; y decimos también: «¡Qué maravilloso es el orden de la creación!»

En la conducta de nuestros niños se evidenciaba *un tipo* de orden de la naturaleza.

El orden no quiere decir necesariamente bondad. No demuestra que el hombre «nazca bueno» ni que «nazca malo». Demuestra solamente que la naturaleza, en sus procedimientos por construir el hombre, pasa a través de un orden establecido. El orden no es la bondad, pero quizás es el camino indispensable para llegar a ella.

También en una organización social exterior, debe existir un orden como fundamento. Las leyes sociales sobre el comportamiento de los ciudadanos, la policía que controla su cumplimiento, son necesidades para lograr una convivencia social; y sin embargo los gobiernos pueden ser malos, injustos y crueles. Incluso la guerra, que es el hecho menos bueno y el más inhumano, se basa en la disciplina y en la obediencia de los soldados. La bondad de un gobierno y su disciplina son cosas diversas. Tampoco en las escuelas, sin lograr la disciplina de los alumnos, podría progresar la enseñanza; pero sin embargo se pueden dar formas de educación buenas y malas.

En nuestro caso, entre estos niños el orden provenía de directrices misteriosas, ocultas, internas, que se podían manifestar solamente a través de la libertad que permitía seguirlas. Para permitir tal libertad era necesario que nadie interviniera obstaculizando la actividad espontánea de los niños, en un ambiente preparado para satisfacer sus necesidades de desarrollo.

Antes de llegar a ser «buenos», es necesario entrar «en el orden de las leyes de la naturaleza». Luego, desde este plano, ya es posible elevarse y subir a una «super-naturaleza», donde se necesita la cooperación de la ciencia.

En cuanto al mal, a la «maldad», es necesario distinguir el «desorden» de la caída a planos morales inferiores. Ser «desordenado», respecto de las leyes naturales que dirigen el desarrollo normal de los niños, no quiere decir necesariamente ser «malo». De hecho los ingleses emplean términos diversos para expresar la maldad de los niños y la de los adultos: a la primera la llaman *naughtiness* y a la segunda *evil* o *badness*.

Ahora podemos afirmar con seguridad: la *naughtiness* infantil es un «desorden» respecto de las leyes naturales de la vida psíquica que se está construyendo; no es maldad, pero compromete la normalidad futura en el funcionamiento psíquico del individuo.

Salud y desviaciones

Si en lugar de «normalidad» decimos «salud», es decir, salud psíquica en los niños durante el crecimiento, entonces la cosa comienza a ser algo más clara, porque nos hace pensar en el hecho análogo de las funciones del cuerpo. Decimos que un cuerpo está sano, cuando todos los órganos funcionan normalmente; y esto es común a todos los hombres, tanto a los robustos como a aquellos delicados o de diverso temperamento físico. Pero si un órgano no funciona bien, se producen las «enfermedades funcionales», que no son lesiones, es decir enfermedades orgánicas, sino solamente funciones anormales. Estas enfermedades funcionales se pueden corregir con tratamientos higiénicos, ejercicios y cosas semejantes. Trasladamos el cuadro al campo psíquico. Hay funciones que pueden ser alteradas; no dependen de hecho de los caracteres de la raza o de una forma individual, de un *ego* predestinado a grandes o desgraciadas cosas en la vida. Tanto el genio como el más ordinario de los individuos, debe tener determinadas funciones establecidas «normalmente», debe estar psíquicamente sano.

Ahora bien, los niños comúnmente conocidos (inestables, perezosos, desordenados, violentos, rebeldes, desobedientes, etc.) son «enfermos funcionalmente» y pueden curarse siguiendo un tratamiento higiénico de vida psíquica: es decir, se pueden «normalizar». Se convierten entonces en esos niños disciplinados que se manifestaron al

principio, provocando tan gran sorpresa. En esta normalización los niños no se convierten en «obedientes a un
maestro que les instruye y les corrige», sino que encuentran la guía de las leyes de la naturaleza, es decir vuelven
a funcionar normalmente y de esta forma pueden revelar exteriormente aquella especie de *fisiología* que, como
ocurre en el cuerpo, tiene lugar *dentro*, en el complicado
laberinto de los órganos del alma.

Eso que se llama «Método Montessori» gira en torno
a este punto esencial.

Podemos decirlo con toda seguridad, después de cuarenta años de experiencia, después de repetidas pruebas
entre todas las razas, en todos los países del mundo: la
disciplina espontánea fue la base primera de todos los resultados maravillosos, como la explosión de la escritura
y tantos otros progresos que se manifestaron a continuación. Es necesario lograr primero el «funcionamiento normal», el estado de «salud», y el estabilizar este estado de
salud que hemos llamado «normalización».

Es necesario que el niño antes se «normalice» y luego
progresará. Tampoco un hombre enfermo puede producir
según todas sus posibilidades naturales que hay en él;
antes, es necesario que se cure.

Lo que están buscando conseguir los psicoanalistas es
precisamente «normalizar» a los adultos que tienen tantas
dificultades para actuar y lograr conseguir sus propó-
sitos sociales. En las clínicas para niños difíciles, lo que
se intenta es que sus funciones entren en un estado de
normalidad.

Ahora bien, supongamos que un método de educación reconoce que es necesario «normalizar» desde el principio, y luego ir manteniendo continuamente en la vida este estado de normalidad. Tal método tendrá como fundamento propio una especie de «higiene psíquica», que ayudará a los hombres a crecer con buena salud mental.

Esto no roza las teorías filosóficas sobre la naturaleza buena o mala de los hombres, ni mucho menos la elevada y abstracta idea de lo que sea el «hombre normal»; pero es un dato práctico, que se puede universalizar.

La base del crecimiento

La realidad está muy clara. El impulso subconsciente en la edad del crecimiento, de la formación del individuo, impulsa a realizar el crecimiento. Esto es lo único que les puede dar la máxima felicidad a los niños e impulsarlos al máximo esfuerzo por conseguirla. Se puede decir que la edad infantil es una edad de «vida interior», que lleva al crecimiento, al perfeccionamiento; y el mundo exterior tiene valor sólo en cuanto ofrece los medios necesarios para conseguir el fin de la naturaleza. Por eso el niño no desea otras cosas que las que se adaptan a sus necesidades, y las emplea sólo en cuanto le son útiles para su fin.

Como el niño no *tiene envidia* del muchacho mayor que él, así no desea tampoco las cosas que de momento le serían inútiles.

De aquí proviene esa actitud pacífica y gozosa del niño que, en un ambiente favorable, elige sus objetos y sus ocupaciones.

El niño mayor no puede inspirar *competencia* al más pequeño, sino, más bien, admiración, devoción. Ve en él la imagen de su propio triunfo, que tiene como seguro, porque el niño crecerá, si no muere. El muchacho mayor no provoca envidia por el hecho de ser mayor. Por eso no se manifiestan esos sentimientos que se podrían llamar «malos». La *naughtiness* de los niños pequeños es una manifestación de defensa o de inconsciente desesperación, por no poder «funcionar» en ese tiempo del que depende todo el futuro y hacia el que va progresando cada hora. O bien la *naughtiness* es una agitación que proviene de hambre mental, substraída a los estímulos del ambiente, o de degradaciones, ante la imposibilidad de actuar. Entonces el «objetivo inconsciente», que se aleja de sus realizaciones, crea una especie de infierno en la vida del niño. Es la separación de la fuente conductora, de las energías creadoras.

Sólo más tarde, cuando el tiempo útil para «formar el primer boceto del hombre» haya terminado y el niño, que ha tenido más o menos éxito al realizar los diseños de su vida, empieza a tener *intereses sobre las cosas exteriores*, entonces sí, puede surgir la envidia por el éxito de los demás. La realidad es entonces diversa, y se puede dar un juicio de «bondad» o de «maldad», es decir de defectos de orden moral respecto de la sociedad, que pueden justificar la corrección educativa.

Educación dilatoria

También en este punto el concepto que se tiene de corregir, queriendo suprimir directamente los defectos, está equivocado. Se corrige solamente «difiriendo», dando tiempo, dando medios, para la expansión de la personalidad: suscitando intereses más elevados que lo que hace otro individuo que se está empobreciendo a nuestro lado. Solamente los pobres riñen por un trozo de pan. Los ricos se ven atraídos por las posibilidades que les ofrece el mundo. La envidia y la competencia son la señal de «estrecho desarrollo mental», de visión limitada.

Quien tiene la visión de un «Paraíso» que debe conquistar, no se contentará con menos que la tierra entera y renunciará fácilmente a los bienes limitados.

Lo mismo se puede decir de una educación que «engrandece» y va más allá de los intereses inmediatos que son limitados, cerrados. La limitación del terreno por conquistar es lo que provoca la envidia y la lucha; pero un espacio amplio provoca otros sentimientos, unos sentimientos que apasionan y que, por eso, son los que verdaderamente llevan a los hombres hacia el progreso.

Por tanto, una educación de «anchura» es la plataforma sobre la que pueden diluirse algunos defectos morales. «Engrandecer el mundo» en el que languidece hoy el niño debe ser el primer paso de la educación. «Librarlo de cadenas que le impiden avanzar» es la técnica fundamental. «Multiplicar a su vez los motivos de interés que

satisfagan tendencias más profundas sepultadas en el
ánimo. Invitar a conquistar lo ilimitado, pero también
a reprimir los deseos de poseer lo que ya poseen los ve-
cinos». Sobre este plano abierto a las posibilidades es
donde se puede y se debe enseñar el respeto a las leyes
exteriores, establecidas por esta otra poderosa naturaleza que es la sociedad de los hombres.

Finalmente la cuestión moral, y por tanto de bondad,
se puede discutir sólo cuando la forma del «niño pequeño» está superada. Entonces es posible aducir los problemas de la filosofía. Pero esos se refieren sobre todo
a la grandeza transcendente: «a la consecución de Dios»,
a la elevada idea del mundo y del destino individual. De
hecho aquellos que quieren luchar contra el «pecado original» lo hacen orientando a los hombres hacia la grandeza de la redención.

2

PREJUICIOS SOBRE EL NIÑO EN LA CIENCIA Y EN LA EDUCACIÓN

La conquista de la cultura

En nuestras escuelas, donde ha ido progresando esta experiencia educativa, se han manifestado prácticamente las tendencias naturales a «extender» la cultura, y a «agrandar los conocimientos». Parece ser éste el camino natural. Aquí los problemas de la enseñanza se alteran enteramente: parece que el problema práctico del maestro ya no es el de comunicar unos conocimientos según unos límites establecidos, sino más bien el de «moderar» y «dirigir», como hace el domador de caballos inquietos y jóvenes. Se necesitan guías para moderar y conducir, no varas para hacer correr.

El «modo» de comunicar la cultura se presenta también diferente. La *técnica* de la enseñanza en las escuelas comunes estaba formada por una lenta y sucesiva progresión entre supuestas dificultades clasificadas previamente. En cambio, los niños, dejados libres en su ambiente, han demostrado unas *técnicas* originales, que no habríamos podido sospechar.

El niño aprende verdaderamente sólo cuando puede ejercitar sus propias energías según los procedimientos mentales de la naturaleza, que actúan alguna vez de modo muy diverso a como comúnmente suponemos. Y por eso fallan o quedan ocultos con los procedimientos usuales en las escuelas comunes. El alumno puede dar unos resultados sorprendentes solamente si el maestro aplica la técnica científica de una «intervención indirecta» para ayudar al desarrollo natural del niño.

Los progresos precoces y extensos de la cultura, que nos han revelado nuestros niños y que provocaron tanta admiración y tanta oposición por malentendidos e incomprensiones, parten siempre de un principio que se refiere a la psicología del niño, y es que el niño aprende por propia iniciativa, asumiendo la cultura del «ambiente» y no del maestro; no solo, sino (como ya puede demostrarse claramente) actuando también en él los poderes del subconsciente que queda libre para absorber y para expresarse, según los procedimientos naturales de la mente absorbente.

Se dirá que también el maestro forma parte del ambiente, y, de hecho, él interviene ayudando a los procedimientos naturales. Pero la realidad es que el niño no puede aprender de esta forma, como se cree, sólo por obra de un maestro que le explique las cosas, aunque sea el más excelente y el más perfecto de todos los maestros. El niño, también al aprender, sigue las leyes interiores de formación mental y se da un intercambio directo entre el ambiente y el niño, mientras el maestro, con sus ofertas de intereses y sus iniciativas, constituye ante todo un «trait-d'union».

Se ha ido haciendo cada vez más luz en este hecho del aprender, desde que se han intensificado las experiencias y se han determinado con el propósito de conocer íntimamente estos fenómenos. Se ha podido constatar en muchos niños, situados en condiciones adecuadas, una pasión por las matemáticas, por los números altos, por las grandes operaciones aritméticas e incluso por cálculos de nivel muy superior, como el estudio de las potencias de los números o la extracción de la raíz cuadrada y cúbica; y de modo especial por los problemas de geometría.

También se ha constatado la capacidad de aprender muchas lenguas al mismo tiempo y de estudiar la gramática y el estilo de las mismas. Hay, por ejemplo, en la India, un niño de 8 años que lee los poemas en sánscrito (lengua muerta) y traduce las narraciones védicas del indostaní al inglés, y su lengua materna es el gujarati, es decir otro idioma indio. Así su cultura se extiende a través de lenguajes vivos y muertos y de países extranjeros.

Hay que añadir a todo esto el interés por las cosas

de la naturaleza, la prodigiosa memoria para los nombres y, hecho extraño, el placer por aprender clasificaciones complicadas de plantas y animales: clasificaciones que, al ser no sólo quizás inciertas sino también agobiantes para la memoria, la ciencia oficial ha creído deber suyo abolirlas al menos de la enseñanza en las escuelas, por considerarlo un esfuerzo inútil.

Este interés por las «clasificaciones» se ha revelado mediante un material móvil, hecho con símbolos; pero era evidente el placer de crear un orden mental entre las imágenes, colocando cada una en su debido puesto. No era, ciertamente, un ejercicio de memoria, sino de construcción, como el que haría un niño pequeño con la arena mojada. Muchas ideas y nombres que habrían volado lejos, son aprehendidas en el conjunto de una fascinante construcción; es como el material matemático que se ordena y se construye según el sistema decimal, agrupando las unidades en jerarquías sucesivas tan claras que la aritmética se convierte en una consecuencia del orden de las unidades. Lo mismo sucede con los hechos históricos, centrados en unas fechas y en la geografía, que forman en la mente un sistema de hechos culturales en el tiempo y en el espacio.

También la naturaleza creadora procede de este modo. En la formación del lenguaje (lengua materna) en el niño, el lenguaje es primitivamente construido sobre los sonidos de las palabras y sobre la gramática, es decir sobre el orden en el que las palabras deben estar para expresar el pensamiento. Esta es la primera construcción fundamental, que se completa poco después de los dos años de edad con una cantidad relativamente escasa de palabras. Después, el lenguaje se enriquece espontáneamente con nuevas palabras, que encuentran ya el orden establecido que las acoge a todas.

El procedimiento adoptado en nuestras experiencias con niños de hasta nueve años de edad puede extenderse a edades más avanzadas: y se puede afirmar que, en todos los grados de la escuela de la cultura, en los muchachos en vía de desarrollo, es necesario no obstaculizar la actividad individual, que de esta forma obedece a un «procedimiento natural de desarrollo psíquico». Es verdad que, conforme la cultura se eleva, el maestro o el profesor va adquiriendo un papel cada vez más importante; pero éste consiste principalmente en «estimular el interés» más que en la enseñanza, como se entiende comúnmente; porque los niños, cuando se interesan por una cuestión, tienden a permanecer por largo tiempo estudiándola y probándola hasta que alcanzan una especie de «madurez» a través de sus propias experiencias. Después de esto, la conquista no sólo está garantizada, sino que tiende a extenderse más ampliamente. Entonces el pobre profesor se ve obligado a pasar los límites que se había propuesto para su enseñanza. Su dificultad no está entonces en lograr «hacer aprender», sino en saber responder a las exigencias inesperadas de sus alumnos y tener que enseñarles al instante cosas que no se había propuesto. Es decir, que la instrucción tiende a extenderse por fuerza propia. Muchas veces, después de un largo descanso, una suspensión del trabajo o bien un período de vacaciones, los alumnos no sólo conservan la memoria de las cosas aprendidas, sino que frecuentemente han enriquecido su cultura como por arte de magia. Después de las vacaciones saben más que antes: se despierta, pues, el poder de absorber el ambiente.

El procedimiento de la actividad espontánea consiste tal vez en un trabajo intensificado y complicado voluntariamente, que absorbe todas las energías mentales durante horas enteras o incluso durante varios días consecutivos.

Recuerdo a un niño que quiso dibujar un río, el Rin, teniendo en cuenta todos los afluentes, y para eso tuvo que buscar durante largo tiempo en tratados de geografía, enteramente extraños a los libros escolares; para su dibujo escogió uno de los papeles milimetrados que usan los ingenieros para sus dibujos; y, empleando compases y otros instrumentos, logró con mucha paciencia su intento. Ciertamente nadie había pretendido nunca que hiciera tal trabajo.

Otra vez vi un niño que se había propuesto hacer una multiplicación gigantesca de un número de treinta cifras por otro de veinticinco cifras. Los productos se acumulaban de tal forma que el muchacho quedaba sorprendido; y tuvo que acudir a la ayuda de dos compañeros que se preocuparon de buscar hojas de papel para pegarlas unas con otras y en las que se pudiera contener la monstruosa operación con su enorme desarrollo. Después de dos días consecutivos de trabajo, la multiplicación no se había

terminado todavía; pero se terminó al día siguiente, sin
que los muchachos demostraran la menor fatiga. Más
bien parecían orgullosos y satisfechos por el gran trabajo
realizado.

Recuerdo también a cuatro o cinco niños que se pro-
pusieron, todos juntos, realizar la multiplicación alge-
braica de todo el alfabeto por sí mismo: hacer el «cua-
drado del alfabeto». También esta vez la operación exigió
el trabajo material de pegar tiras sucesivas de papel, que
entre todas alcanzaron una longitud de casi diez metros.

Estos trabajos pacientes tenían el efecto de fortalecer
y agilizar más la mente, como haría un *training* gimnás-
tico con el cuerpo.

Una vez un niño consiguió el poder de realizar operaciones bastante complicadas sobre fracciones, sin escribir-
las: es decir, manteniendo en su plano mental la imagen
de los números y de las operaciones sucesivas. Mientras
el niño realizaba en su mente las operaciones, sin escribir
ni hablar, el profesor las realizaba escribiéndolas, no
siendo capaz de hacerlas de otro modo. Al final del cálculo el niño dijo el resultado. El profesor (que era un jefe
de las escuelas inglesas, que había venido a visitar nuestras escuelas de niños de Holanda) indicó que el producto dado por el niño no era exacto. El niño, en vez de tur-
barse, se puso pensativo y dijo: «Sí, he visto dónde he
cometido la falta»; y poco después dio el resultado exacto.
Esta corrección mental en un cálculo bastante complicado hecho anteriormente, provocó más admiración que
la ejecución misma. La mente del niño tenía evidente-

mente cualidades particulares para retener en ella todos esos procedimientos.

Otra vez, un niño, que había aprendido la extracción de la raíz cuadrada con el procedimiento indicado en nuestro material, se interesó mucho por extraer raíces por sí solo, pero con un procedimiento diverso, inventado por él, que sin embargo no supo explicar.

No acabaría nunca de aducir ejemplos. Uno de los más extraordinarios fue el trabajo paciente de un niño que hizo el análisis gramatical escrito de un pequeño libro completo, sin cambiar de ocupación durante varios días hasta que lo terminó.

Estas manifestaciones psíquicas revelan una especie de mecanismo formativo, son ejercicios que no tienen ninguna utilidad externa, ninguna aplicación práctica. No sería posible imponerlos, como se podría hacer en una gimnasia física, porque sería imposible mantener artificialmente un interés vivo e ininterrumpido, una atención constante por cosas en sí mismas poco atrayentes y sin objetivo. Es en verdad un esfuerzo espontáneo y tan grande, que sería imposible provocarlo. A pesar de semejantes «pasatiempos», que aparecen en muchos niños en las variedades de sus ocupaciones, estos mismos niños realizan progresos excepcionales en todos los ramos de la cultura y del arte. En una escuela de la India, donde había un maestro especial para la música y el baile, un grupo de niños se reunía frecuentemente en la sala de música, cuando no estaba el maestro, e improvisaba bailes que el maestro no les había enseñado, y que diferían mucho de los rígidos movimientos del arte indio; varios niños tocaban los instrumentos rítmicos que acompañaban una especie de canto coral inventado por ellos. En todos aparecía un vivo interés, que no era solamente placer. De vez en cuando se oían en la escuela estas músicas inesperadas.

Son estos fenómenos muy diversos de los que considera la educación corriente en relación con la psicología «escolástica», que atiende sólo a la «voluntad» y al «esfuerzo» que se hayan hecho como provenientes de reflexiones del entendimiento o de presiones externas. Aquí en cambio interviene, independientemente de toda reflexión o aplicación práctica y utilitaria, una especie de impulso vital, la «erupción de manifestaciones súbitas e insospechadas». El «progreso» en la adquisición real de la cultura es evidentemente ayudado por estas energías interiores, mucho más que por un esfuerzo voluntario e impuesto. Y los resultados que se consiguen no están directamente en relación con estos extraños ejercicios de paciencia y de trabajo constante, sino que parecen más bien pertenecer a mecanismos «interiores» que, al actuar, dan un impulso de desarrollo a toda la personalidad en su conjunto.

De hecho una de las consecuencias más directas es la formación del «carácter». Los niños no progresan solamente en la conquista casi maravillosa de la cultura; sino que se hacen más conscientes de sí mismos, más dueños de las propias acciones, más seguros en el proceder de su conducta sin rigidez ni dudas por timidez o miedo, dispuestos siempre a una adaptación hacia las demás personas y hacia el ambiente con sus eventualidades. El gozo de vivir y la disciplina parecen más consecuencias de estos actos interiores que de circunstancias externas. Ellos están dispuestos para dominar el ambiente. Porque, más equilibrados y más capaces de orientarse y de valorarse a sí mismos, se muestran característicamente tranquilos y armoniosos; y por esto encuentran una mayor facilidad en adaptarse a las demás personas.

En el curso de nuestras experiencias hemos encontrado también aquí la fuerza destructora de los prejuicios. Una vez, aunque todos se lamentaban de la falta de cultura y ponían de relieve su absoluta necesidad en la vida civil de nuestro tiempo, se oponían, como en defensa del niño, al crecimiento cultural de nuestras escuelas. La fuerza de la inercia mental veía como una herejía pedagógica, y más aún psicológica, estas revelaciones de nuestros niños y combatía el ofrecimiento de nuestros materiales que ayudaban a tal desarrollo. En contra se aducían los descubrimientos sobre el *surménage* mental de los niños en las escuelas comunes y se nos acusaba de forzar las energías intelectuales del niño, o se denunciaba nuestro intelectualismo. Y sin embargo nosotros éramos completamente inocentes de todo esto. La simple descripción de los hechos, de entre los que hemos escogido solamente algunos en las páginas precedentes, prueba que ellos nos sorprendían al menos tanto cuanto suscitaban en los demás una admiración sospechosa. ¿Quién se habría atrevido nunca a provocar la manifestación de estos poderes en los niños? Ciertamente, nosotros no. Son los niños los que nos lo han revelado y nosotros no hemos hecho otra cosa que respetarlos en la atmósfera de libertad de nuestras escuelas, y respondiendo solamente con la ayuda que ellos nos pedían. Sin embargo, intentamos encontrar la fuente de estos poderes y de investigar las condiciones que permitían y, quizás, facilitaban su «erupción». Y solamente la repetición universal de los mismos fenómenos, incluso entre niños de razas muy distintas o de civilizaciones mucho más primitivas que la nuestra, es lo que nos ha obligado a concluir que se trata de posibilidades «normales», de poderes realmente humanos, que habían estado escondidos demasiado tiempo por falta, por parte de los adultos, de respeto a las leyes de la formación psíquica y de la ayuda que ellos tienen derecho a pedir a la educación.

La cuestión social del niño

Los resultados que hemos apuntado no son fáciles de conseguir, porque se encuentran enormes obstáculos en los prejuicios seculares. Es un campo, el del niño y el de la educación, en el que todos han tenido y tienen experiencias, desde la aparición del hombre sobre la tierra: experiencias que han tenido tiempo de consolidarse y de hacerse universales. Desgraciadamente existen también ciencias modernas, o tentativas de ciencia, relativas al niño, que se han desarrollado basándose en las manifestaciones infantiles más superficiales (sobre los «efectos» de circunstancias externas) y se han acomodado fácilmente sobre los prejuicios que cada hombre lleva consigo. Por este motivo las manifestaciones infantiles, de que hemos hablado, no se prestan a la observación de «hombres que ven», sino a la de hombres que están ya ciegos por los prejuicios.

Estos prejuicios son tan universales que es difícil reconocerlos como prejuicios y se confunden con la evidencia de las cosas, puesto que todos, o casi todos, han visto solamente al niño conocido, no al niño desconocido. En realidad, si se afirma ante un público que para reformar la educación es necesario vencer muchos prejuicios, el pensamiento del oyente más avanzado, más «sin prejuicios», se dirige inmediatamente a lo «que se debe enseñar», y no se dirige al niño. Él pensará que hay que eliminar de la enseñanza todo cuanto él considera como prejuicios o errores, para que no se vayan transmitiendo. Alguno dirá que es necesario evitar la enseñanza de las ideas religiosas dogmáticas, otros que es necesario quitar los prejuicios entre las castas sociales, otros incluso que se deben eliminar algunas costumbres y formalismos que están fuera de tiempo en la sociedad actual, y así sucesivamente.

Pero el que existan prejuicios que «impiden» ver al niño bajo un punto de vista distinto del acostumbrado, esto parece todavía inconcebible.

Y sin embargo, quien se ocupa de la psicología infantil, o de la educación, debe tomar en consideración *no* los prejuicios sociales de los que se ocupan los hombres modernos, sino *otros* prejuicios, los que se refieren directamente al niño, al niño con sus atributos naturales, con sus poderes, con sus condiciones anormales de vida.

Quitando los prejuicios religiosos, se podrá quizás lograr una mejor comprensión de la grandeza o del significado de las religiones, pero no la personalidad natural del niño. Quitando los prejuicios sobre las castas sociales, se podrán intensificar la comprensión y la armonía entre los hombres en la sociedad, pero no por esto se verá mejor al niño. Si se reconocen inútiles muchos formalismos en los comportamientos sociales, porque pertenecen a una época ya pasada, se reformarán las costumbres, pero no por esto se verá mejor al niño.

Todo cuanto parece contribuir a un progreso social entre los adultos, puede prescindir completamente, en la opinión común, de las necesidades vitales del ser infantil. El adulto ha visto siempre en la sociedad, en su progreso, solamente al adulto; y el niño ha quedado como un extrasocial, una incógnita en la ecuación de la vida.

De aquí proviene el prejuicio de que la vida del niño se pueda modificar o mejorar solamente con la enseñanza: prejuicio que impide ver la realidad de que el niño se construya por sí solo, que tiene un maestro dentro de sí mismo, el cual también tiene un programa y una técnica educativa; y que nosotros al reconocer este *maestro* desconocido, podemos tener el privilegio y la fortuna de llegar a ser sus asistentes y sus fieles servidores, ayudándole como colaboradores.

Muchos otros prejuicios son lógica consecuencia de éste. Se dice que la mente del niño está vacía, sin directrices y sin leyes; y nosotros tenemos, por esto mismo, la grande y plena responsabilidad de llevarla, de guiarla y de mandarla; que su ánimo tiende a una cantidad grande de defectos; tiende al decaimiento y a la inercia, tiende a descarriarse como una pluma llevada por el viento, y debemos, por esto mismo, estimularlo y animarlo, corregirle y guiarlo continuamente.

Físicamente ocurre lo mismo. El niño —se dice— no controla sus movimientos, pues es incapaz de servirse por sí mismo; y el adulto se apresura a hacerlo todo por él, sin caer en la cuenta de que el niño podía hacerlo por sí solo. Este niño se convierte en un gran peso sobre nuestras preocupaciones y nuestras responsabilidades. El adulto está seguro, ante él, de que debe «crear» en el niño un hombre, y que la inteligencia, la actividad socialmente útil, el carácter de este hombre que ha llegado a su casa, serán únicamente obra suya.

Nace entonces el orgullo junto con la ansiosa responsabilidad. Ese niño debe un infinito respeto y gratitud a sus progenitores, a sus salvadores; pero si, en cambio, se muestra rebelde, es culpable y hay que corregirle, someterlo incluso con violencia, si es necesario. Ese niño, para ser perfecto, debe ser perfectamente pasivo, es decir debe tener una obediencia absoluta. Es un perfecto parásito de sus padres y, mientras sus padres asuman todo el peso económico de su vida, él debe depender enteramente de ellos. ¡Es el hijo! Aun cuando se haya convertido ya en un hombre y tenga que afeitarse la barba todas las mañanas para ir a clase en la Universidad, está en dependencia del padre, y de sus maestros, como cuando era un niño. Irá donde el padre quiera, estudiará frecuentemente como quieran sus maestros y profesores. Seguirá siendo un extra-social, incluso cuando se doctore y cumpla sus 26 años de edad.

No podrá elegir el estado matrimonial sin el consentimiento del padre, hasta que no llegue a una edad avanzada que está legislada no en función de su necesidad y sus sentimientos, sino en función de una ley social hecha por los adultos e igual para todos.

Él debe obedecer hasta morir, y si no ha hecho el servicio militar, no tendrá puesto en la sociedad.

Todas estas cosas se deslizan por el mundo como el agua tranquila de un arroyo por los prados. Ésta es la preparación del hombre. Y de la mujer... Ella todavía está en peor situación, mucho más dependiente y sentenciada en vida.

Las normas de tal modo de vivir están en la base de la sociedad. Nadie puede ser llamado *bueno* si no se conforma a ellas.

Así desde el nacimiento, y hasta que no han cumplido todas las normas dictadas por el adulto, ni el niño ni el hombre dependiente, que es el joven, no están considerados como *hombres* en la sociedad. Al joven estudiante se le dice: «Preocúpate de estudiar, no te metas en política ni te preocupes por ideas diferentes de las que te han impuesto; tú no tienes derechos civiles.»

El mundo social se abre solamente después de pasada esta especie de preparación dictatorial.

Hay que reconocer que durante la historia de la civilización ha habido una evolución. Mientras en el derecho romano el padre era dueño de matar al hijo por el derecho que le daba la naturaleza al haberlo engendrado; y de hecho se hacía desaparecer al niño débil o deforme, arrojándolo por una roca (la roca Tarpeya), que tenía esta función depuradora de la raza; el cristianismo lo puso bajo la ley que manda respetar la vida. Pero ahí quedó todo. Ya no se puede matar materialmente al niño.

Poco a poco la ciencia, bajo la forma de higiene, llegó incluso a «proteger» la vida del niño de las enfermedades, de evidentes crueldades; pero no se preocupó de dictar las condiciones sociales necesarias para proteger la vida de *todos* los niños.

La personalidad del niño quedó sepultada bajo los prejuicios del orden y de la justicia. El adulto, que se ha preocupado tanto por defender sus propios derechos, ha olvidado al niño; ni siquiera ha caído en la cuenta de él; y en este plan la vida ha continuado desenvolviéndose y complicándose hasta nuestro siglo.

De todo este conjunto de ideas se derivan los prejuicios particulares que se imponen con el fin laudable de la protección y del respeto por la vida de la infancia.

Por ejemplo, el niño pequeño no puede ser admitido en ninguna clase de *trabajo*, sino que tiene que ser abandonado a una vida de inercia intelectual; solamente puede jugar de manera preestablecida.

Por eso, si un día se descubre que el niño es un gran trabajador, que incluso se puede aplicar con concentración, que puede instruirse, que tiene una disciplina en sí mismo, parece de fábula; pero no causa sorpresa, sólo se ve como un absurdo.

La atención no se detiene sobre esta *realidad;* por eso no se acierta a intuir que ahí es donde puede anidar un *error* por parte del adulto. La cosa es sencillamente imposible, inexistente; o diríamos, no seria.

Ahora bien, la mayor dificultad para librar al niño y poner de relieve sus poderes no está en encontrar una educación que los realice, sino en vencer los prejuicios que el adulto tiene acerca de él. Por eso decía que se deben reconocer y estudiar y combatir solamente «los prejuicios relativos al niño», sin tocar los otros prejuicios que el adulto tiene sobre su propia vida.

Esta lucha contra los prejuicios es la cuestión social del niño, que tiene que acompañar a la renovación de su educación. Es decir, que hay que preparar *un camino* positivo y delimitado a este fin. Si se toman en cuenta directamente y *solamente* los prejuicios relativos al niño, entonces se logrará al mismo tiempo una *reforma del adulto*, porque se destruirá un obstáculo que está en él. Esta reforma del adulto tiene una enorme importancia para toda la sociedad: representa el despertar de una parte de la conciencia humana que se halla cubierta por estorbos estratificados, y sin esto todas las demás cuestiones sociales se oscurecen, y sus problemas permanecen insolubles. La «conciencia» está ofuscada no en un

adulto aislado, sino en todos los adultos, porque todos
tienen niños y, teniendo en torno a ellos ofuscada la
conciencia, obran inconscientemente ; no emplean aquí la
reflexión, la inteligencia, que en otros campos les conducen al progreso. Existe en verdad un *punto ciego*, como el
del fondo de la retina. El niño, ese desconocido, esa apariencia de hombre, incomprendido, aceptado tal vez como
un accidente matrimonial que ha abierto un camino de
sacrificios y de deberes, no suscita por sí mismo ni maravilla ni admiración.

Dejadme que describa un complejo psicológico. Supo-
ned que pueda aparecer el niño en la naturaleza como
un milagro divino, como experimentan los hombres en
la figura del Niño Jesús, figura inspiradora de artistas y
de poetas, esperanza de redención para la humanidad
entera, figura augusta a cuyos pies los reyes de Oriente y
de Occidente depositan devotamente sus dones. Ese Niño
Jesús es todavía, en el culto, un verdadero niño, un recién
nacido inconsciente. Ahora bien, la casi totalidad de los
padres experimentan sentimientos grandiosos en el nacimiento de su hijo, que se idealiza con la fuerza del amor.
Pero luego ese niño crece y comienza a ocasionar moles-
tias. Se busca, casi con remordimientos, el defenderse de
él. Contentos cuando está dormido, intentan hacerle dormir lo más posible. Quien puede, lo entrega en manos
extrañas, lo entrega a la *nurse* y se anima a pedirle que
lo tenga lo más lejos posible. Y si el niño, ese ser desconocido e incomprensible que obra por impulsos inconsc-
cientes, no se somete, se le castiga, se lucha contra él,

que, siendo débil, sin ninguna arma defensiva en su inteligencia ni en sus fuerzas, tiene que soportarlo todo. Surge entonces un «conflicto» en el alma del adulto que lo ama, al principio quizás no sin pena, no sin remordimiento. Pero luego el mecanismo psíquico entre el consciente y el subconsciente encuentra un modo de acomodarse en el hombre: sucede, como dice Freud, una fuga: el subconsciente prevalece y sugiere: «Esto que hacéis no es para defenderos del niño; es un deber que estáis cumpliendo con él; es un bien necesario, y tenéis que obrar así animosamente, porque de esta forma *educáis*, trabajáis para construir la bondad en él.» Y, conseguido este alivio, quedan sepultados los sentimientos naturales de la admiración y del amor.

Esto se da en todos, porque el fenómeno está en la naturaleza. De esta manera se realiza una especie de «organización inconsciente de defensa» entre todos los padres del mundo. Los unos se apoyan en los otros y la sociedad entera forma como un subconsciente colectivo, en el que todos obran de acuerdo, alejando y deprimiendo al niño: obran por el bien propio, cumplen con él un deber, nunca un sacrificio. Y se sacrifica de tal manera el remordimiento que queda ya definitivamente sepultado en el conflicto por la solidaridad. Es decir, que lo establecido toma la forma de una sugestión y adquiere la apariencia de un absoluto indiscutible, en el que todos están de acuerdo: y los futuros padres son a su vez también sugestionados y preparados para los deberes y los sacrificios que deberán realizar por el bien del niño.

La gente sugestionada se prepara la conciencia para tal acomodación, y el niño queda sepultado en el subconsciente. Como en todos los sugestionados, también en éstos lo que existe es ya solamente lo que está establecido por la sugestión, y este estado de cosas se perpetúa de generación en generación. Por los siglos de los siglos el niño sepultado no podrá ya revelar nada de su elevada naturaleza.

Hagamos una especie de fórmula, de sigla, para designar este fenómeno. El bien es en verdad un mal enmascarado, un mal organizado que sin embargo ha encontrado una resolución subconsciente para graves conflictos. Nadie quiere el mal, todos quieren el bien, pero ese bien es el mal. Cada uno lo ha recibido en virtud de una sugestión que viene del ambiente moralmente uniforme. Se ha formado, pues, en la sociedad una *Organización del Mal* que toma la forma del *Bien*, y que es *Impuesto* por el ambiente a la *Humanidad* entera en virtud de la *Sugestión*. Formando una sigla con las mayúsculas de los nombres subrayados tenemos OMBIUS (1).

El Ombius

El Ombius social domina al niño. Todos verán el Ombius en vez de ver al niño sublime, al pequeño hermano del Niño Jesús. Y los sentimientos ombióticos cubrirán

(1) En italiano Humanidad no lleva H; su primera letra es la u.

fatalmente toda la vida del niño, mientras un ideal luminoso del mismo queda solamente como un símbolo en los altares de la religión.

Cuando los hombres adultos lleguen por sí mismos a la conclusión de que todos son hijos de Dios y de que Cristo vive en cada uno de ellos y que es su modelo al que hay que intentar imitar y con quien es necesario identificarse hasta poder decir: «No soy ya yo quien vivo, sino que es Cristo quien vive en mí», se exceptuará al niño. El Niño Jesús es algo diverso del pobre recién nacido sepultado en el Ombius. La gente ve en él solamente el pecado original, al que hay que combatir.

Esta pequeña historia, basada en los secretos psicológicos de la naturaleza humana, ilustra el hecho primordial de una creciente y total opresión del niño. Aunque aislado en la familia, pesa sobre él el prejuicio de la sociedad entera organizada por los adultos. Y durante la evolución y los movimientos sociales por los derechos del hombre, el niño quedará olvidado.

La historia de las injusticias cometidas contra él no ha sido escrita todavía oficialmente, y por eso no se aprende con las asignaturas históricas de las escuelas, en ningún grado. Los mismos estudiantes de historia que consiguen el doctorado especializado en esta asignatura, no han oído hablar de ella nunca. La historia se refiere sólo al hombre adulto, porque sólo el hombre adulto vive ante la conciencia. Lo mismo los que se especializan en la legislación; aprenden una multitud de leyes de los tiempos pasados y de los tiempos presentes, y no dan importancia a que no haya sido promulgada ninguna ley en defensa de los derechos de los niños. De esta forma la civilización pasa por encima de una cuestión que jamás ha llegado a ser «un problema social».

Sin embargo el niño es considerado y utilizado, cuando puede ser útil a los intereses del adulto. Pero también en este caso sigue siendo el *hombre,* cuyo destino cae en el punto ciego de la conciencia. Pongamos el caso más evidente. Durante la revolución francesa se proclamaron por vez primera los derechos del hombre; entre éstos estaba el derecho para todos los hombres de ser instruidos, de saber leer y escribir, quitando así un privilegio solamente accesible a la sociedad más elevada y haciéndolo universal. Hubiera sido lógico que todos los hombres adultos se hubieran prestado a este nuevo trabajo, porque era un derecho que no se basaba solamente en la ruptura violenta de privilegios, sino que exigía un esfuerzo por perfeccionarse. En cambio se pensó solamente en el niño, y sobre él exclusivamente recayó el esfuerzo para una tal conquista.

Es la primera vez, en la historia del mundo, que el niño es «movilizado»: hombres y mujeres, todos por igual reclamados al servicio de la escuela, como en tiempo de guerra se moviliza a la juventud masculina para el servicio de las armas.

¡Todos conocemos la lamentable historia! El niño fue condenado en vida, pues quedó aprisionado durante toda su infancia. Encerrado dentro de celdas desnudas, sentado en bancos de madera, bajo el dominio de un tirano que le imponía incluso el pensar como él quería, aprender lo que él quería, hacer lo que él quería. Y la mano delicada del niño tenía que escribir; su mente imaginativa debía fijarse en la forma árida del alfabeto que no le expresaba ninguna de las ventajas que le podían venir de él. Las ventajas, qué duda cabe, las habrá encontrado el hombre adulto.

¡Qué historia de martirios no escritos! Los niños fueron torturados, sus dedos estrechados sobre el mango de la pluma fueron golpeados con la varita y obligados a un ejercicio cruel. Son demasiado conocidos los sufrimientos de esos prisioneros, que incluso han llegado a torcerse la espina dorsal por la condena a estar sentados sobre un banco de madera días y días, años tras años, en la primera edad delicadísima de su crecimiento. En amontonamientos, en promiscuidad de enfermedades, sufriendo el frío, así vivió la infancia en esos campos de concentración. Esto duró hasta nuestro siglo. La ventaja era un derecho del hombre, no del niño; pero nadie se lo agradeció, nadie intentó ayudarle en sus penas. Y sin embargo en los padres estaban siempre los sentimientos naturales que alimentan el amor materno y paterno en el nacimiento del niño y los instintos de protección de los pequeños, comunes también a todos los animales.

¿Cómo se explica esto, si no es como un fenómeno misterioso de la conciencia? O ¿qué otra cosa puede explicarlo mejor que el Ombius y los prejuicios acerca del niño?

Ahora, en nuestro siglo, se empieza a pensar en serio en

atenuar esos sufrimientos, se quiere transformar la educación, se construyen escuelas más sanas y hermosas, escuelas modernas. Pero todo esto sucede en torno a la misma figura del niño incomprendido y visto a través del Ombius.

LAS «NEBULOSAS»

El hombre y los animales

El niño recién nacido, sólo cuando se le considera lógicamente, aparece, desde el punto de vista de la herencia, diferente de los recién nacidos de los mamíferos. En realidad, los pequeños de los mamíferos también, como en general todos los animales, heredan un especial *behaviour* que es fijo, como fijos son los caracteres morfológicos del cuerpo. El cuerpo está ya adaptado a las funciones que habrá de ejercitar en la vida: funciones que son fijas en la especie. Las costumbres, el modo de moverse, de saltar, de correr, de trepar están fijados desde el nacimiento, y por eso la adaptación al ambiente supone la posibilidad de ejercitar esas funciones características que tienen como fin no sólo mantener la especie, sino contribuir al conjunto del funcionamiento de la naturaleza (objetivo cósmico). Las garras del que salta, del que corre, del que huye, del que trepa, del que cava la tierra, están hechas de modo que correspondan al oficio de cada uno. Lo mismo la ferocidad, la avidez de cadáveres y de suciedades contribuyen al orden cósmico en la superficie de la tierra. Finalmente, el cuerpo, en su rigidez y en su flexibilidad está hecho de modo que realice el «objetivo cósmico» de cada especie. Pocas son las especies dotadas de la posibilidad de alguna particular y limitada variación de su adaptación innata; estas especies han sido todas domesticadas por el hombre. La mayor parte de los animales, en cambio, conservan una absoluta rigidez en los caracteres hereditarios y no se pueden domesticar.

Pero el hombre tiene un poder ilimitado de adaptación, tanto en el sentido de que puede vivir en todas las regiones geográficas, como en que puede adquirir innumerables formas de costumbres y de trabajo. Luego el hombre es la única especie que es capaz de una evolución infinita en sus actividades en el mundo exterior; de aquí brota el desarrollo de las civilizaciones. Es verdaderamente una especie que no ha quedado fijada por la naturaleza en su *behaviour*, como todos los demás seres vivos. Es, como ha dicho recientemente un biólogo, una especie en perpetuo estado de infancia, porque se está desarrollando con un progreso continuo.

Por tanto ésta es la primera diferencia: el hombre no recibe en herencia un *behaviour* fijo.

Otra diferencia evidente es que ningún pequeño de los mamíferos nace tan desprovisto, incapaz de actuar las características del adulto, como el hombre. Muchos animales, como las cabras, los caballos, los bueyes, se mantienen casi instantáneamente de pie, y durante la lactancia corren tras la madre.

Los mismos monos, que son considerados como los más cercanos al hombre, se muestran vivaces e inteligentes apenas nacidos; se agarran por sí mismos con fuerza al cuerpo de la madre, que no tiene necesidad de llevarlos en sus brazos. La mona madre trepa por los árboles con su recién nacido, que se agarra con sus brazos al cuerpo de ella; más todavía, si el recién nacido intenta escaparse, la madre se ve a veces en apuros para volverlo a coger y tenerlo junto a sí.

En cambio el niño se mantiene en su inercia durante largo tiempo. No habla, mientras todos los demás al punto ya gritan o ladran o mayan, es decir producen por herencia los sonidos de un lenguaje fijo, limitado y propio de la especie. Todos los perros de todas las partes del mundo y de todas las razas ladran, todos los gatos mayan, etc., como todos los pájaros tienen su grito propio, su canto propio, su lenguaje propio que es uno de los caracteres de la especie.

La prolongada inercia e incapacidad del niño es en verdad exclusiva del hombre. Y en la edad en que un bovino es ya capaz de reproducirse, aunque tenga un cuer-

po tan grande como el del hombre y poco más o menos
los mismos órganos fisiológicos, éste todavía está en un
estado infantil y muy lejos de la madurez.

Los que únicamente estudian la evolución de la forma
del cuerpo y de sus órganos respectivos, para deducir de
ello la descendencia directa del hombre de los animales,
no han prestado una suficiente atención a las diferencias
que se manifiestan en este carácter misterioso de la larga
infancia humana; y con esto sólo, se abre un vacío que
las teorías de la evolución no han considerado todavía
suficientemente.

En realidad, se podría concluir lógicamente que el
hombre es un mono evolucionado tras prolongados esfuerzos de adaptación al ambiente y sólo por obra de
estos esfuerzos, puesto que hay una semejanza evidente
entre el cuerpo del hombre y el del mono. El rostro y la
cabeza de un fósil humano primitivo son bastante semejantes y cercanos a los de un mono superior; los miembros y en general el esqueleto tienen semejanzas sorprendentes. El que crea que el hombre primitivo trepó también a los árboles, no hace otra cosa que insistir en un
lugar común desarrollado fantásticamente en las cintas
cinematográficas de Tarzán. Pero algo permanece inex-
plicable. Podemos imaginar un hombre primitivo, de bajo
tipo morfológico, que trepa a los árboles; ¡pero no se
puede admitir que haya tenido un recién nacido que ha-
blara, que se sujetara por sí mismo a la madre, que se
pusiera en pie y empezara de pronto a correr! ¡Es difícil
encontrar una razón por la que el hombre, a medida que

evolucionaba hacia una especie superior, es decir al *homo sapiens*, tuviera que contemplar a su recién nacido quedarse pasivo, mudo, sin inteligencia e incapaz durante años enteros de hacer lo que venía haciendo en épocas anteriores a la evolución! Luego en el recién nacido se da uno de los caracteres verdaderamente humanos, distintamente diferenciados.

No importa que este hecho no lo podamos explicar hoy. El hecho existe, y a partir de él es fácil argumentar que, si el recién nacido del hombre muestra una inferioridad tan grande respecto de los recién nacidos de los mamíferos, debe ser porque tiene una función especial, que los demás no tienen.

Esta función no deriva de la herencia de precedentes formas infantiles: es relativa, pues, a cualquier carácter nuevo, que haya sobrevenido durante la evolución.

Este carácter no se reconoce observando al hombre adulto, se reconoce con evidencia solamente observando al niño.

Algo *nuevo* ocurrió durante los procesos evolutivos que desembocaron en la realización del hombre, como sobrevino un carácter nuevo en el paso de los reptiles a las aves, y a los mamíferos; es decir, la sangre caliente, el cuidado instintivo de los huevos o de los pequeños respectivamente, o lo que es lo mismo: la protección de la especie. La verdadera diferencia entre las aves y los reptiles no está en unos dientes eventuales en el pico de la *archeopterix* o en la cola larga de muchas vértebras, sino en ese amor paternal que antes no existía y que aparece con la sangre caliente. Se trata, pues, de *adiciones* en la evolución y no solamente de transformaciones.

La función del niño

El niño debe tener una función especial que no es solamente la de ser más pequeño y más débil respecto del adulto. Él no posee «por nacimiento» todos los atributos destinados a hacerse grande y fuerte para llegar al estado adulto; en realidad, si tuviera ya los caracteres fijados, como ocurre en las otras especies, el hombre no podría adaptarse a los lugares y costumbres tan diversos, ni evolucionar en sus formas sociales, ni asumir trabajos tan varios.

Es pues diferente de los animales, incluso mirando a la herencia. No hereda evidentemente los *caracteres*, sino la potencialidad de formarlos. Así pues es *después del nacimiento* cuando se forman los caracteres propios de la raza a la que pertenece el niño.

Tomemos como ejemplo el lenguaje. Es verdad que el hombre debe poseer y transmitir por herencia las cualidades enteramente nuevas de desarrollar un lenguaje que se relaciona con la inteligencia y la necesidad de transmitir el pensamiento en una convivencia social. Pero no existe un *lenguaje particular*. El hombre no «habla una lengua» solamente porque crece; como un perrito que, en cualquier parte del mundo donde esté, aunque se halle aislado de otros perros, ladra. El lenguaje viene poco a poco, y se desarrollará precisamente durante la época inerte e inconsciente de la primera infancia. Es a los dos años, o a los dos años y tres meses, cuando el niño habla distintamente y reproduce precisamente el lenguaje que hablan los que le rodean. No reproduce hereditariamente el lenguaje del padre o de la madre. De hecho, si un niño es alejado de sus progenitores y de su pueblo, y llevado a otra nación donde se habla otra lengua, él aprende el lenguaje del lugar donde se encuentra.

Un recién nacido italiano llevado a los Estados Unidos de América hablará inglés con acento *yankee*, y no sabrá el italiano. Es, pues, el mismo niño quien asume el lenguaje; y, antes de haberlo conquistado, era *mudo*, a diferencia de los animales. Esos niños raros de los que habla la historia, llamados «hijos de la selva», que fueron hallados abandonados en el bosque, habiendo sobrevivido al abandono en compañía de los animales salvajes, permanecen mudos incluso a la edad de 12 ó 16 años, en que han sido encontrados. Ninguno de ellos reproducía los sonidos de los animales en medio de los cuales vivieron o por los que fueron en cierto modo adoptados. Mudo era el famoso salvaje de Aveyron, encontrado en ese bosque a la edad aproximada de los 12 años y educado por el famoso médico francés Itard, quien descubrió en sus interesantes experimentos que el niño no era sordo, ni incapaz de hablar, pues aprendió a conversar en francés y aprendió incluso a leer y escribir en esa lengua. Se había quedado aparentemente sordomudo porque había vivido lejos de las personas, de las personas que hablan.

El lenguaje se desarrolla, pues, *ex novo* en el mismo niño. Él lo desarrolla naturalmente; sí, es decir tiene este poder hereditario, pero lo desarrolla él mismo, en sí mismo, tomándolo del ambiente. Nada hay más interesante que los estudios recientes de psicología relativos a observaciones concretas sobre el desarrollo del lenguaje en los niños.

Los niños absorben, ciertamente de un modo inconsciente, el lenguaje en un módulo gramatical; y mientras permanecen aparentemente inertes durante mucho tiempo, de repente (o mejor dicho en el espacio de cerca de dos años y tres meses), muestran un fenómeno como de explosión de un lenguaje ya totalmente formado. Hubo, por tanto, un desarrollo *interno* durante el largo período en el que el pequeño era incapaz de expresarse. Él estaba elaborando en los misterios de su inconsciente todo el lenguaje, con las reglas que distribuyen las palabras en un orden gramatical necesario para expresar el pensamiento. Esto lo hacen los niños respecto de todas las lenguas posibles. Las más sencillas, como las de algunas tribus africanas, y las más complicadas, como la alemana o la rusa, todas son asimiladas exactamente durante el mismo período de tiempo; en todas las razas el niño comienza a hablar hacia los dos años de edad. Así también sucedió en el pasado. Los niños romanos hablarían esa lengua latina tan complicada por sus casos y declinaciones y tan difícil de ser aprendida por los jóvenes de hoy día que frecuentan las escuelas superiores; y, en la India, los niños pequeños hablarían el sánscrito, que es de una dificultad casi insuperable para los que la estudian hoy.

La lengua tamil en el Sur de la India, por ejemplo, es dificilísima para nosotros, con esos sonidos y esas acentuaciones casi imperceptibles que cambian el sentido de la conversación solamente con levantar o bajar un poco el tono de la voz; en cambio los pequeños de dos años hablan el tamil en los pueblos y en los desiertos indios.

Para el que estudia el italiano, una de las mayores dificultades está en recordar el masculino o el femenino de los nombres, porque no hay ninguna regla, y además algunos nombres pueden ser masculinos en singular y femeninos en plural, o viceversa. Por eso es casi imposible que un extranjero no cometa errores. En cambio los ignorantes niños de la calle no se equivocan nunca, y se ríen al oír equivocaciones de los extranjeros. Alguna vez personas instruidas, que han estudiado la lengua italiana con sus reglas y sonidos, están convencidas de hablar ya como un italiano; y sin embargo oyen que les dicen: «Usted tiene un acento extranjero; ¿de qué nación es?»

Los lenguajes asimilados durante la edad infantil son evidentes e inimitables: son los respectivos «lenguajes maternos», propios del hombre ignorante y del culto. Lenguaje único para cada hombre que lo posee en los sonidos alfabéticos, en las entonaciones de la voz, en las conexiones gramaticales y que caracteriza su procedencia de una nación o de una raza, como podría caracterizarla el color de la piel o el escantillón del cuerpo.

¿Cómo se fijaron los diversos lenguajes? ¿Esos lenguajes elaborados a través de infinitas generaciones, esos sonidos que han evolucionado a través del pensamiento de los hombres? Ciertamente no porque el niño les prestase una atención consciente ni por el estudio inteligente. El hombre tiene como carácter hereditario la facultad de poder hablar; pero no pertenece a la herencia el que transmita un determinado lenguaje. ¿Qué es, pues, lo que se hereda?

Se podría establecer una comparación con las nebulosas creadoras de los astros, que son acumulaciones casi inconsistentes de gas etéreo, cosas impalpables que, sin embargo, poco a poco se van solidificando y transformando, convirtiéndose en astros y planetas.

Si, por hacer una comparación, se supone una herencia del lenguaje, ésta sería una _nebulosa_, inexistente y muda, sin la cual no obstante no habría ninguna posibilidad de desarrollar ningún lenguaje. Las nebulosas serían misteriosas potencialidades comparables a las de los _genes_ que se encuentran en la célula germinativa y que tienen sobre los futuros tejidos el poder de orientarlos para que formen los órganos complicados y bien determinados en todos sus tejidos.

El embrión espiritual

El niño, que en apariencia está inerte físicamente, ¿no es quizás un _embrión_ en el que se desarrollan los órganos psíquicos del hombre? ¿Un embrión en el que exis-

ten solamente nebulosas, que tienen el poder de desarrollarse espontáneamente, sí, pero sólo *a expensas del ambiente,* de ese ambiente que es tan variado, en las formas
de civilización? Por eso el embrión humano debe *nacer*
antes de completarse y se puede desarrollar solamente
después de haber nacido, porque sus potencialidades han
de ser estimuladas por el ambiente.

Los «influjos internos» serán muchos, como lo son
en el crecimiento físico, durante los procesos dependien-
tes de los *genes,* por ejemplo, los influjos de las diversas
hormonas. En cambio, aquí, en el embrión espiritual,
existen *sensibilidades* rectoras. Por ejemplo, en el caso del
lenguaje, se advierte en un examen de los sentidos que
el oído parece ser el menos desarrollado durante las primeras semanas de vida. Y sin embargo es con el sentido
del oído con el que tienen que ser recogidos los sonidos
más delicados de la palabra. De aquí resulta que el oído
no oye sólo como sentido; sino que es guiado por una
especial sensibilidad para que recoja del ambiente precisamente los sonidos de las palabras. Y éstas no son solamente oídas, sino que provocan reacciones motrices en
las fibras delicadas de las cuerdas vocales, de la lengua,
de los labios, que son despertadas, entre las numerosas
fibrillas capilares, precisamente del modo concreto que
puedan reproducir unos sonidos determinados. Sin embargo esto no se expresa inmediatamente, sino que es
almacenado en espera del tiempo en el que el lenguaje
deberá nacer. Del mismo modo que el niño se forma en
la vida intrauterina sin realizar sus funciones, pero luego

es estimulado para que nazca en un determinado momento y empiece a realizar sus múltiples funciones todas de una vez.

Esto son suposiciones, pero queda el hecho de que se dan desarrollos internos *dirigidos* por energías creadoras, y estos desarrollos pueden llegar a una madurez antes de manifestarse exteriormente. Cuando luego se manifiestan, ya son *caracteres* determinados y forman parte de la individualidad.

La mente absorbente

Es verdad que no todos estos complicados procesos siguen el funcionamiento que se halla establecido en el adulto, porque el niño no ha aprendido una lengua como nosotros podemos aprender una lengua extranjera, con el esfuerzo de nuestras facultades mentales, sino que él ha conseguido una construcción estable, exacta, maravillosa, como las construcciones embrionarias de un órgano en un organismo. Es decir, que existe en el niño pequeño un estado mental inconsciente que es creador, y que llamamos «mente absorbente». Y la mente absorbente construye no mediante esfuerzos voluntarios, sino bajo la guía de las «sensibilidades internas» que llamamos «períodos sensitivos», porque la sensibilidad dura sólo temporalmente, dura hasta que no se haya cumplido la adquisición que debe hacer la naturaleza. Así por ejemplo, si en un niño la nebulosa del lenguaje encuentra obstácu-

los para su desarrollo y las sensibilidades auditivas cons-
tructoras no funcionan, se convertirá en un sordomudo
con todos los órganos del oído y de la palabra perfectamente normales.

Está claro que en la «creación» psíquica del hombre
debe haber un hecho secreto. Si nosotros aprendemos
todo a través de la atención, del esfuerzo de la voluntad,
de la inteligencia, ¿cómo el niño puede emprender sus
grandes construcciones cuando todavía no está dotado de
inteligencia, de voluntad ni de atención? Es evidente que
en él actúa una mente con poderes enteramente diversos
de los nuestros y por eso puede existir en el inconsciente
un funcionamiento psíquico diverso de la mente consciente.

El lenguaje es el ejemplo que puede prestarse más
claramente para dar una idea de esta diferencia de mentalidad, porque se presta a un estudio de observación directo y detallado.

En la mente inconsciente no se hallan las diversas
dificultades que nosotros experimentamos al aprender,
por ejemplo, un idioma muy sencillo o uno extremada-
mente complicado. Evidentemente, como no hay dificultades, no hay tampoco desarrollos graduales relativos a
estas dificultades. El *todo* es aprehendido en el mismo
período de tiempo. Ahora bien, esta adquisición no se
puede comparar con el esfuerzo de *memoria* que tenemos
que hacer nosotros, ni con la fragilidad de nuestra memoria que deja escapar fácilmente sus adquisiciones transi-
torias; porque el lenguaje durante la época inconsciente

se imprime indeleblemente y se convierte en un *carácter* que el hombre encuentra ya establecido en sí mismo. Ningún lenguaje que se quiera añadir al lenguaje materno logrará ser un carácter, y ninguno será poseído con tanta seguridad como él. Para nosotros es algo muy distinto aprender un idioma con nuestra mente consciente. Evidentemente es bastante fácil aprender una lengua primitiva, de gramática sencilla, como algunos lenguajes de los pueblos nativos de África central, que a menudo los misioneros aprenden durante el viaje que realizan a través del océano y los desiertos, antes de llegar a su destino. En cambio es dificilísimo aprender una lengua complicada como el latín, el alemán o el sánscrito; los estudiantes emplean cuatro, cinco e incluso ocho años estudiándola, sin llegar a conocerla perfectamente. Una lengua viva, pero extranjera, no se aprende nunca del todo: cualquier error gramatical o el «acento extranjero» revelan que aquélla no es la lengua materna de quien está hablando. Y esta lengua extranjera, si no se cultiva continuamente, se olvida fácilmente.

La lengua materna no está en dependencia de la memoria consciente, sino que está depositada en una memoria diversa, semejante a la que los psicólogos modernos, biólogos o psicoanalistas llaman «mneme» o «la memoria de la vida», que es la que conserva las formas transmitidas por la herencia, a través de infinidad de tiempos y que es considerada como un «poder vital».

Quizás pueda ilustrar esta diferencia una comparación

superficial: la comparación entre la fotografía y la representación gráfica hecha con la ayuda conjunta de la mano y de la inteligencia, es decir la escritura, el dibujo, la pintura. Una máquina fotográfica con su película puede recoger en un instante cualquier cosa que le llegue a través de la luz; no supone una fatiga mayor el recoger la figura de un bosque, o la de un árbol aislado, un grupo de personas con el ambiente que las rodea, o una cara aislada. Sea cual sea la complicación de las figuras, la máquina las recoge del mismo modo y en un mismo instante de tiempo: el instante en el que el objetivo se abre y los rayos luminosos penetran hasta tocar la película. Tanto da que se quiera fotografiar la cubierta de un libro, que solamente contiene el título, o una página interior, llena de menuda escritura; el procedimiento y los resultados son los mismos.

En cambio, si se quiere reproducir a mano un dibujo, esto ya resulta más o menos fácil y trabajoso, y el tiempo que se emplea en reproducir el perfil de un rostro, es muy distinto del que es necesario para dibujar a una persona entera o a un grupo de personas o un paisaje. Además el dibujo no reproduce nunca todos los detalles, aunque se quiera; tanto es así que para tener un documento sobre un sujeto o sobre la posición de un cuerpo, se exige la fotografía, no el dibujo. Así también escribir el título de un libro es algo fácil y rápido, en cambio no lo es copiar una página repleta de escritura. Y conforme va trabajando la mano, se va dibujando el objeto con mayor lentitud y a base de sucesivos esfuerzos.

Una vez ha sido tomada la imagen, la máquina fotográfica queda como antes y en ella no se ve nada de la imagen que ha tomado. Es necesario sacar el film en un lugar oscuro, exponerlo a los reactivos que actúan químicamente sobre él, fijar la imagen lejos de la luz que la ha producido. Cuando la imagen está fijada, se puede lavar el film y exponerlo a la luz, porque la imagen permanece indeleble y reproduce todas las particularidades del objeto fotografiado. La mente absorbente parece que opera de manera análoga: también aquí las imágenes deben permanecer ocultas en la oscuridad del inconsciente y ser fijadas por misteriosas sensibilidades, sin que nada aparezca al exterior; solamente después que el milagroso fenómeno se ha realizado es cuando la adquisición creadora sale fuera a la luz de la conciencia y se queda allí indeleble con todas sus particularidades. Ahora bien, en el caso del lenguaje, éste explota poco después de los dos años y se encuentran en su sitio las particularidades de los sonidos, de los prefijos y sufijos de las palabras, de las declinaciones y de las conjugaciones de los verbos y de la construcción de la sintaxis. Es el indeleble lenguaje materno; es un carácter de la raza.

¡La mente absorbente! ¡Maravilloso don de la humanidad!

Sin colaborar con su esfuerzo, sólo «viviendo», el individuo absorbe del ambiente un hecho complejo de cultura, como es el lenguaje.

¡Si esta forma esencial permaneciera en el adulto, cómo se habrían facilitado los estudios! Imaginémonos que podemos ir a otro mundo, por ejemplo al planeta Júpiter, y que encontramos allí hombres que solamente paseando y viviendo absorben todas las ciencias sin estudiarlas, adquieren habilidades sin el esfuerzo del ejercicio. Diríamos: «¡Qué milagro tan venturoso!» Y sin embargo esta forma fantástica de la mente existe; es la mente del niño pequeño. Es un fenómeno que permanece oculto en los misterios del inconsciente creador.

Si esto sucede con el lenguaje, con esa construcción de sonidos formada por los hombres durante siglos y milenios de esfuerzos intelectuales para cincelar la expresión del pensamiento, es fácil reconocer que, análogamente, deben fijarse en el niño los caracteres psíquicos que diferencian una raza de otra: es decir, las costumbres, los prejuicios, los sentimientos y, en general, todos los caracteres que experimentamos como «encarnados» en nosotros, independientemente, e incluso a pesar de las modificaciones que nuestra inteligencia, la lógica, el raciocinio estarían dispuestos a aportarnos. Un día, ya lejano, oí a Gandhi que decía: «Yo puedo aprobar y seguir muchas de las costumbres de los pueblos de Occidente, pero jamás podría borrar de mí la adoración de la vaca.» Y cuántos pensarán: «Sí, mi religión es absurda, según la lógica; pero me queda, a pesar de todo, un sentimiento misterioso de devoción hacia los objetos sagrados; una necesidad de acudir a ellos para vivir.» Estos hombres, que han crecido bajo la impresión de su tabú, aunque lleguen a ser doctores en filosofía, no podrán borrarlo. El niño verdaderamente construye, reproduciéndolas en sí mismo como en una forma de mimetismo psíquico, las características de los hombres que le rodean. Y de esta forma al crecer no se convierte en un *hombre* simplemente, sino en un *hombre de su raza*.

Con esta descripción hemos tocado un secreto psíquico de vital importancia para la humanidad: el secreto de la *adaptación*.

La adaptación

La adaptación, tal como es entendida por las teorías de la evolución, termina produciendo los «caracteres de la especie», que los hace diferir los unos de los otros, hasta que se fijan y se transmiten inalterados por herencia.

En el hombre, que debe adaptarse a todas las condiciones y circunstancias del ambiente y que nunca se fija en sus costumbres, porque evoluciona continuamente en el camino histórico de la civilización, debe hallarse un «poder de adaptación» rápido que sustituya a la herencia en el campo psíquico. Ahora bien, esta adaptación, aunque se haya demostrado por el hecho de que se encuentran hombres en todas las regiones geográficas de la tierra, en todas las latitudes, en todos los niveles desde el nivel del mar hasta el de las altas montañas, no es algo propio del adulto. El adulto no se adapta fácilmente. O mejor, cuando están fijados en él los caracteres de la raza, sólo vive *bien* en aquella región, y vive feliz sólo cuando está *inmerso* en aquellos caracteres que se han fijado en él.

La adaptación del adulto que emigra, o que marcha a vivir entre pueblos de costumbres distintas, supone un *esfuerzo* frecuentemente duro. Los exploradores son unos héroes, y los que viven lejos del propio centro de su vida son unos desterrados.

En cambio el que se ha adaptado se siente feliz solamente en su centro propio, en las condiciones establecidas en su grupo racial. El esquimal siente la fascinación de los hielos, como el etíope siente el atractivo de la jungla, y el que ha vivido en la orilla de los mares se ve fascinado por el océano, y los pueblos del desierto gozan con la poesía de las distancias áridas e infinitas. El que *no está adaptado* a las nuevas condiciones de la vida, sufre una violencia. Los misioneros consideran su vida como un sacrificio.

El niño es el instrumento que no sólo hace amar a cada uno el propio rincón de la tierra, y le hace adherirse a las propias costumbres, sino que es también, por la misma razón, el vehículo para pasar a través de la evolución de la civilización. Cada hombre está adaptado para su tiempo y vive bien en él. Así como nosotros no sabríamos adaptarnos ya a un modo de vivir social de hace mil años, así tampoco el hombre de hace mil años, que no tenía máquinas ni rápidas comunicaciones, no podría vivir entre los ruidos y veloces movimientos de nuestro ambiente civil, y quedaría aterrorizado ante los milagros que el hombre ha realizado con sus descubrimientos; en cambio nosotros hallamos en este ambiente el placer, o como decimos, el *confort* de nuestra vida.

El mecanismo es simple y claro: el niño encarna en sí mismo el ambiente que encuentra y construye en sí al hombre adaptado a vivirlo. Él vive, para realizar esta función, un período embrionario, que es exclusivo del hombre: lo vive ocultamente, aparentemente como un ser vacío e inerte.

Solamente hoy, después de la primera década de nuestro siglo, se ha empezado a estudiar al niño. Todos los que lo han estudiado han llegado a la conclusión de que los dos primeros años de vida son los más importantes, porque durante ellos se dan los desarrollos fundamentales que caracterizan la personalidad humana. En tanto el recién nacido no tiene nada, ni siquiera el poder de moverse, el niño de dos años habla, corre, comprende, reconoce las cosas del ambiente. Luego se prolonga todavía su infancia, en la edad de los juegos, organizando sus creaciones inconscientes y haciéndolas conscientes en sí mismo.

La vida se divide en períodos bien distintos. Cada período desarrolla propiedades que están dirigidas en su construcción por las leyes de la naturaleza.

Si no se respetan estas leyes, la construcción del individuo puede resultar anormal o monstruosa. Pero teniendo cuidado de ellas, con la preocupación de descubrir y secundar las leyes del desarrollo, se pueden manifestar caracteres jamás conocidos y sorprendentes, en los que poco a poco se van viendo las internas y misteriosas funciones que dirigen la creación psíquica del hombre.

El niño tiene grandes poderes que nosotros todavía no sabemos utilizar.

En la civilización actual uno de los peligros más amenazadores es el ir *contra la ley* al educar al niño, y sofocarlo o deformarlo en función del error de prejuicios comunes.

El contacto con el mundo

De todo esto se deduce un hecho lógico: si el niño, ya desde su nacimiento, debe crear a expensas del ambiente, tendría que ser puesto en contacto con el *mundo*, con la vida exterior de los hombres. Debería participar o, mejor, asistir a la vida de los adultos. Si él tiene que encarnar el lenguaje de la raza, debería escuchar a los hombres que hablan, asistir a sus conversaciones. Si tiene que completar su adaptación al ambiente, tendría que participar en la vida pública, ser testigo de las costumbres que caracterizan a las gentes de su raza.

¡Extraña e impresionante conclusión! Si el niño es un recluso en las *nurseries*, separado de la vida social, se convertirá en un reprimido, en un disminuido, en un deformado; y, finalmente, será un anormal, *incapaz* de adaptación, porque se le ha privado de los medios necesarios para realizar su gran misión.

El niño que aún no habla ni se mueve, ¿debe ser llevado a la sociedad, a los actos públicos, a tomar parte en la vida de los adultos? ¿Quién se atrevería a hacer tal afirmación, a intentar una revolución tan profunda con respecto a nuestros prejuicios modernos?

Ante la evidencia de que hoy, a pesar de tantos cuidados higiénicos, de tanto reposo de los niños condenados casi siempre a dormir, crece desmesuradamente el número de niños difíciles, de niños retrasados, sin carácter, sin audacia, con un lenguaje pobre e incluso interrumpido por dudas o deformado por tartamudeos, y ante el espectáculo de tanto desequilibrio, de tantos enfermos con anormalidades psíquicas que les impiden la vida social, uno se quedaría perplejo. Todos dirían: «Esto es un mal; pero vuestro remedio es absurdo.»

Recurramos entonces a la naturaleza. Porque, si tal es la función del recién nacido, la naturaleza debe haber provisto también la manera de proteger al niño y facilitarle su función vital necesaria a la sociedad.

Ahora bien, se constata que en una forma de vida natural y primitiva, ha ocurrido precisamente así. El recién nacido, el niño pequeño, el *embrión espiritual*, que tiene que preparar a expensas del ambiente su adaptación y construir los caracteres propios de la raza, participó siempre en la vida social de los adultos. La madre lleva al niño pequeño en brazos y lo tiene junto a ella vaya donde vaya. La campesina va al trabajo llevando con ella al niño; la mujer que va a la compra al mercado, o que va a la iglesia, que conversa con las comadres, tiene al niño siempre pegado a ella.

La *lactancia* es el lazo que tiene todavía unida a la madre con el embrión espiritual; y es un hecho común en todas las razas. Incluso el modo que emplean las madres para sujetarse al niño, permaneciendo ellas con las manos libres para trabajar, es uno de los caracteres en las costumbres de los pueblos. La madre esquimal sujeta al niño a su espalda, la japonesa sobre los hombros, la india lo lleva al costado, otras, como en los cantones suizos, lo llevan en la cabeza. De esta forma las madres realizan una segunda función natural, una función de orden psíquico. Ellas no son conscientes de cumplir un acto necesario para la salvación de la especie. La madre es algo distinto de una «revolucionaria en la educación». No es una maestra del niño, no lo invita a mirar o a aprender: es sencillamente su medio de transporte. Ella no se preocupa de lo que el niño va observando. Para ella, como para todos, el niño es un ser vacío, mudo, incapaz de inteligencia y de movimiento. Y éste es un medio providencial de la naturaleza. Porque las cosas que contempla la madre, no las contempla el niño, y las cosas que observa el niño escapan a la atención de la madre.

Es interesante ver esto en un grupo de gente primitiva: por ejemplo, en un mercado de pueblo, en el que se encuentran hombres y animales y toda clase de objetos, frutas, telas, donde las gentes hablan entre ellas de los propios negocios. Se ve entonces que el pequeño lactante, el infante embrionario mira con extraña fijeza y con interés muchas cosas; mira el *ambiente* en sus varios aspectos, mientras la madre se para a contratar sus mercancías o a hablar con la gente. El *mundo*, el ambiente en su conjunto, escapa a la madre; pero no al niño. La madre mirará la fruta que quiere comprar; el niño se encanta mirando un perro o un asno que se mueven. Madre e hijo

son totaimente independientes en sus intereses; incluso
frecuentemente el niño va sujeto a la madre por fajas u
otros medios de tal modo que tiene que mirar en sentido
opuesto al de la madre. La mayoría de los amigos que la
madre encuentra se paran para decir alguna palabra de
cumplido al niño, y le dan involuntariamente lecciones
repetidas de lenguaje.

En las razas poco evolucionadas el tiempo de la lactancia es larguísimo; dura más de un año, y con frecuencia
puede durar hasta dos años. Durante todo este tiempo
importante de la vida, el niño va conquistando el ambiente. Verdaderamente no es tan necesario para el cuerpo
que el niño vaya tomando por tanto tiempo la leche materna; no es necesario, pero la madre tiene el instinto
amoroso de no separarse de él y de llevarlo siempre, aunque el niño vaya naturalmente aumentando de peso.

Un misionero francés, que ha estudiado de modo especial las costumbres del pueblo bantú en África central,
se maravilla de que a las madres no se les ocurre siquiera
la idea de separarse de su niño. Ellas se consideran como
un solo cuerpo con él; el niño es una parte de la madre.
Habiendo asistido a la solemne coronación real, aquel
misionero vio llegar a la reina con el niño en brazos, y
recibir el honor soberano teniéndolo junto a sí. Se asom-
bra el misionero de que las mujeres bantúes puedan pro-
longar tanto tiempo la lactancia, que casi generalmente
dura dos años enteros; es decir, que se prolonga durante
la época que hoy interesa tanto a nuestros psicólogos
modernos.

Estos testimonios naturales no los consideramos, seguramente, revolucionarios. Nosotros los contemplamos con admiración y estamos dispuestos a reconocer, en mérito a tales costumbres, el carácter tranquilo de esos niños que no son difíciles y no presentan «problemas», como los nuestros. El secreto se encierra en dos palabras : leche y amor.

La naturaleza, la sabia naturaleza, ha de ser la base sobre la que se puede construir una *superior naturaleza* todavía más perfecta. Es cierto que el progreso tiene que *superar* la naturaleza y adquirir formas diversas, pero no puede proceder pisoteándola.

Estos breves indicios abren un camino práctico a aquella afirmación general que empieza a invadir nuestro mundo científico: «la educación debe empezar desde el nacimiento».

Conclusiones

El hombre no es ni un cuerpo vegetal que viva solamente de alimentos materiales, ni menos está destinado solamente a las emociones sensuales. El hombre es ese ser superior dotado de inteligencia, que tiene una gran misión en la tierra : transformarla, conquistarla, utilizarla, construir un *mundo nuevo* maravilloso que supere y se sobreponga a las maravillas de la naturaleza. Es el hombre quien crea la civilización. Su trabajo es ilimitado y es el objetivo de sus miembros físicos. Desde el primer momento en que aparece en la tierra es un trabajador. Los restos de la humanidad más primitiva son piedras pulidas con su mano de acuerdo con unos fines que aumentaron y se extendieron hasta el infinito. Él se ha convertido en el dominador de todas las cosas vivas, de todas las substancias y energías esparcidas por el universo. Por eso parece «natural al hombre» que el niño empiece por absorber el ambiente y por llevar a cabo, mediante el trabajo, con las experiencias graduales del ambiente que le rodea, su desarrollo infantil. Por la absorción inconsciente, y luego con la actividad sobre las cosas exteriores, es como él alimenta y desarrolla su cualidad humana. Él se va construyendo, se va formando en sus caracteres, alimentando su espíritu.

Si el desarrollo se limitara a lo físico, el niño estaría condenado a una especie de *hambre*, nunca saciada, de su mente; y caería en los males profundos de la «desnutrición psíquica». Nada humano podría desarrollarse normalmente en él. Son todavía pocos los que han descubierto que las anomalías psíquicas evidentes de la infancia moderna, que se manifiestan ya desde los primeros años de la vida, se deben a dos cosas: «desnutrición mental» y «falta de actividad inteligente y espontánea». Se deben, pues, a una represión de las energías vitales, destinadas a desarrollar el alma de un hombre: a una demolición de las leyes que guían paso a paso el crecimiento del futuro hombre: el niño.

El mundo civilizado se convierte en un inmenso campo de concentración en el que todos los hombres que na-

cen son relegados y hechos esclavos, disminuidos en sus
valores, aniquilados en sus impulsos creadores, substraí-
dos a los estímulos vivificadores que cada uno tiene derecho a encontrar entre aquellos que le aman.

Esta vaga expresión debe concretarse así: «Es necesario reconstruir una educación nueva, que empiece ya
desde el nacimiento. Es necesario reconstruir la educación
basándola sobre las leyes de la naturaleza, y no sobre
ideas preconcebidas o sobre los prejuicios de los hombres.»

La educación actual no se fundamenta ni siquiera sobre la ciencia de los hombres. Porque hoy se está desarrollando un modo de tratar a los niños pequeños «ya
desde su nacimiento», que se apoya sólo sobre lo que la
higiene ha creído necesario prescribir: buena alimenta-
ción, especialmente la artificial, facilitándola con la separación de la madre, que accede de buen grado a no tener
leche; aislamiento del niño en una *nursery*, confiándolo a
una mujer desconocida y privándole del amor materno;
condenación del niño a dormir en una oscuridad artificial, procurando que no le dé la luz del día. Cuando el
niño es sacado fuera, al mundo exterior, es llevado en un
cochecillo, cubierto de tal modo que el niño no vea nada.
Éste que avanza con la cabeza por delante, tiene ante los
ojos solamente a la *nurse*, que es una especie de enferme-
ra, frecuentemente vieja, porque se supone que las viejas
tienen más experiencia en cuidar a los niños. La mirada
amorosa de una hermosa y joven madre es algo desconocido para el niño. Él es un cuerpo vegetativo; los médicos

especialistas o los psicoanalistas se atreven a añadir: es un «tubo digestivo». El silencio, necesario para el sueño, sustituye a la voz humana que habla. Este «tubo digestivo» está bien estudiado: se le proporciona la cantidad y la calidad de un alimento regulado y medido rigurosamente. El cuerpo es pesado periódicamente para irle siguiendo en su crecimiento. Las caricias, el palpar los miembros, que el instinto maternal sugiere, han sido abolidos; y sin embargo es la naturaleza la que los ha inspirado; son estímulos de vida, reclamos de la conciencia; o son delicados masajes que preparan los músculos, todavía inertes, mediante un ejercicio pasivo que les es necesario, cuando todavía no se han desarrollado los movimientos voluntarios.

¡Es algo verdaderamente extraño! Existe el terror de que las caricias y los contactos con la madre sean peligrosos e indecentes y que susciten los instintos sexuales en quien apenas si ha llegado al mundo. Los niños están en peligro de perder su carácter, el poder de adaptación y la orientación en el complicado mundo en el que han nacido.

Es necesario que la sociedad salga de errores tan profundos y libere a esos prisioneros de la civilización, preparándoles un *mundo* adaptado a sus necesidades supremas, que son necesidades psíquicas. Uno de los trabajos más urgentes en la reconstrucción de la sociedad es la reforma de la educación, que se debe realizar dando a los niños el ambiente adecuado a su vida. Ahora bien, el primer ambiente es el mundo, y los otros ambientes, como la familia y la escuela, deberán satisfacer esos impulsos creadores que tienden, bajo la guía de las leyes cósmicas, a realizar el perfeccionamiento humano.

Cuando sean dominados los prejuicios por el conocimiento, entonces aparecerá en el mundo el «niño superior», con sus poderes maravillosos que hoy siguen ocultos; entonces aparecerá el niño que está destinado a formar una humanidad capaz de comprender y de controlar la actual civilización.

ANALFABETISMO MUNDIAL

La cuestión del analfabetismo se plantea hoy de nuevo con mayor fuerza, como un problema de actualidad. No se agota, como ocurrió en el pasado, con la fría recopilación de estadísticas o dibujando mapas geográficos, acerca del tanto por ciento de analfabetos que, en proporciones varias, existen todavía en las naciones de Europa y de América.

Después de la segunda guerra mundial los problemas sociales se estudian en un plano que sobrepasa los límites nacionales y los de los continentes que tienen unidad de raza o de civilización, y se extiende a todo el mundo. Consecuencia de la guerra ha sido que los pueblos de Asia, llamados del Este —es decir, los orientales— han entrado en el campo de interés de los pueblos del Oeste —los occidentales— con la clara conciencia de que todos los pueblos del mundo están ya unidos. Algunos acontecimientos históricos, como la independencia de la India y de otras naciones de Asia, y al mismo tiempo el esfuerzo por contribuir con la educación a un entendimiento universal en beneficio de todos, coloca el problema del analfabetismo entre las grandes cuestiones actuales. La persistencia en el mundo de centenares de millares, incluso millones de analfabetos, mientras se están difundiendo ya por todos los continentes los productos y los instrumentos de la civilización mecánica, constituye un fuerte contraste entre el progreso material y el progreso moral de los hombres, lo que produce un desequilibrio universal. De hecho la UNESCO, que estudia la educación también como un medio práctico y necesario para establecer una mayor armonía entre los pueblos, pone en lugar preeminente la lucha contra el analfabetismo.

El problema de la educación no es, ciertamente, el del analfabetismo; es un problema enteramente distinto: se refiere a la formación espiritual y a la elevación intelectual de la humanidad, para adaptarla a las nuevas condiciones sociales en el «mundo nuevo», en el que todavía está vegetando desprevenida e inconsciente. Pero esta educación debe *circular* por el carril de la alfabetización, como los trenes circulan por la red ferroviaria.

Así hoy, la India independiente, pone entre sus objetivos más urgentes el educar al pueblo.

Al problema de proveer a todos de alimento, sigue inmediatamente el de crear escuelas para los niños e instituciones culturales para los adultos: los gobiernos orientales experimentan cómo el analfabetismo es la cuestión clave que tienen que resolver.

Un problema semejante se presentó hace siglo y medio en las Naciones de Europa y de América: decidieron que era necesario ir removiendo gradualmente el analfabetismo y la ignorancia impartiendo a tcdos los conocimientos llamados por los ingleses de las 3 R: «Reading, Writting, Reckoning»: leer, escribir y contar; pero principalmente leer y escribir.

Pronto surgieron grandes obstáculos contra este intento, porque no se tenían experiencias precedentes con las que poder orientarse y se incurrió en muchos errores. ¡Los pueblos orientales se pueden considerar más afortunados, por cuanto los obstáculos y los errores pueden ser evitados! La experiencia realizada en Occidente tiene para ellos gran valor. El camino ya está trazado, y se puede caminar por él hacia la meta con pasos agigantados.

En Europa los errores, originados por la inexperiencia al realizar rápidamente y en un plano total la educación infantil, afectaron a los niños. Ellos fueron las víctimas de una forma de esclavitud sin precedentes en la historia de la humanidad.

Pocos saben que el primer impulso para llevar a cabo este colosal esfuerzo social tiene su origen en una revolución, que inició los nuevos tiempos en Europa: porque marcó el principio de los grandes descubrimientos científicos y el amplio uso dc las máquinas.

En la Revolución francesa del 1789 se dio un extraño fenómeno: en medio de las salvajes violencias de una insurrección popular, el mismo pueblo reclamó que entre los *derechos del hombre* estuviera también el de la adquisición del lenguaje más elevado, es decir el lenguaje escrito. Era una exigencia extraña y sin precedentes. No tenía nada que ver con la reacción contra el poder opresor que tenía empobrecido al pueblo.

El pueblo no pedía, pues, solamente pan y trabajo, como hizo luego según la doctrina de Marx, ni se limitaba a exigir un cambio en las clases sociales y en el gobierno político; sino que reivindicaba el derecho humano de ser instruido, de acuerdo con el art. 11 de la *Declaración de los Derechos del Hombre y del Ciudadano*, sancionada en 1791: «La libre comunicación del pensamiento y de las opiniones es uno de los derechos más preciosos del hombre»; cada ciudadano puede, pues, hablar, escribir, publicar libremente. Ésta ha sido una de las pocas veces en que el pueblo, en vez de disminución del trabajo, ha pedido poder conquistar algo nuevo con un esfuerzo que, cada individuo tenía que realizar a base de duro trabajo.

La exigencia brotaba de algo muy superior al deseo de romper las cadenas de la tiranía. En realidad se necesitaron tres años para establecer los principios de una vida social nueva y para abatir la monarquía; en cambio se necesitó un siglo para extender al pueblo el conocimiento del lenguaje escrito.

Aunque el grito de guerra fue «libertad», esta conquista no se logró a través de la libertad, pues fue necesaria la coerción. La realización práctica de este cometido colosal no se logró con la destrucción de una monarquía que había defraudado al pueblo; fue conseguida por otra monarquía: la del primer Imperio Francés. Napoleón, paladín de la revolución francesa, revitalizó al pueblo, y, siendo imposible restablecer las viejas condiciones de vida, llevó decididamente al pueblo hacia una nueva vida.

A su toque mágico se vio al pueblo de Francia convertirse en una ola que rompió diques seculares. Sus gestas épicas ocultaron la única y verdadera conquista que queda hoy: la elevación del pueblo al nivel intelectual, de acuerdo con los *derechos* del hombre.

Con el Código de Napoleón, la educación obligatoria apareció por primera vez en la legislación de las Naciones. Y puesto que Napoleón impuso su Código a todos los pueblos de Europa, este principio de educación conquistó no sólo a Francia, sino a todo el Imperio, al día siguiente de las terribles destrucciones de la guerra.

La educación obligatoria fue establecida en muchos Estados europeos, pasó luego a América y se inició de esta forma el difícil cometido de eliminar el analfabetismo. Todas las naciones de aquel tiempo lo asumieron.

La educación de las masas abrió un nuevo capítulo en la historia humana, que siguió desarrollándose y extendiéndose. Era un cometido que exigía un trabajo mental de cada individuo: y el cometido fue confiado a los niños.

En los primeros años del siglo XIX el niño entró en la Historia como un elemento activo del progreso de la civilización. Pero al mismo tiempo se convirtió en una víctima. El niño no podía comprender, como el adulto, la necesidad de esta conquista esencial para la vida social. La infancia, movilizada desde la edad de los seis años, experimentó solamente el sufrimiento de la cárcel y la esclavitud al verse forzada a aprender el alfabeto y el arte de escribir: cosa árida y molesta cuya importancia no podía juzgar y menos adivinar sus ventajas para el futuro. Desterrado en pesados bancos, acuciado por castigos, el niño aprendió bajo la coerción, sacrificando no sólo su débil cuerpo, sino también su personalidad.

Así ha sucedido siempre en la dolorosa historia de los hombres: todas las grandes conquistas se han obtenido al precio de la esclavitud. Los grandes monumentos egipcios, la expansión marítima de Roma requirieron, como primera necesidad, el sacrificio de hombres obligados con el látigo al duro y monótono trabajo de transportar los bloques de piedra o de mover los remos. También para esta nueva conquista de un más alto grado de inteligencia, para conquistar el uso universal de la lectura y de la escritura, la humanidad necesitó esclavos: y los esclavos fueron los niños.

Al principio del siglo xx se inició un movimiento para aliviar las condiciones de los niños condenados a los «estudios obligatorios»; pero, por mucho que se haya logrado en este sentido, el niño está todavía hoy lejos de ser considerado en la plenitud de sus *derechos naturales de hombre*.

No estamos todavía suficientemente convencidos de que el niño que estudia en la escuela es el hombre *en potencia;* que su valor no consiste sólo en ser el medio de elevar al pueblo a un nivel más alto de cultura, de conquistar los objetivos nacionales, de alcanzar ventajas prácticas para la sociedad. Él tiene «sus propios valores»;

y si la humanidad ha de ser mejorada, el niño deberá ser
mejor conocido: deberá ser respetado y ayudado. Porque la humanidad se quedará imperfecta, como lo es ahora, si se mantienen los diferentes niveles de desarrollo y
las consiguientes estridencias que le impiden avanzar por
el camino del progreso. El continuo fluir de acontecimientos infaustos en nuestros días lo demuestra: es ur-
gente y esencial cultivar las energías humanas en sí mismas.

En los países donde hoy la educación obligatoria hace
su primera aparición, se pueden aprovechar las experiencias precedentes y se puede partir ya de un nivel más alto.
No es necesario considerar ya al niño como un medio de
progreso: como un esclavo sobre cuyas espaldas podemos
acumular el peso del progreso de la civilización. La educación debe comenzar ayudando al desarrollo del mismo
niño; y después, como acrecentamiento de las potencialidades del pueblo.

Las necesidades del niño, las ayudas necesarias para
su vida, deben ser la preocupación fundamental de la educación moderna.

«Necesidades del niño», y no sólo las de su vida física.
Las de su inteligencia y de su personalidad como hombre
son tan urgentes y mucho más elevadas. La ignorancia es
todavía más fatal al hombre que la desnutrición y la pobreza.

Muchos creen que tener respeto al niño y consideración a su vida psíquica significa dejar al niño a su aire
en la inercia, es decir, sin un trabajo mental. ¡Al contra-

rio! Cuando se consideren como base las energías naturales, o en otras palabras, cuando el plano de la educación siga la psicología especial del desarrollo del hombre, se logrará no solamente un extenso y rápido progreso en la cultura, sino que también se realizará una intensificación de los valores personales.

Los progresos de nuestra civilización se apoyan sobre una base científica. Por tanto, también la educación debe afianzarse sobre bases científicas.

Aprender a leer y escribir es el comienzo de la educación obligatoria, el fundamento sobre el que se basa: y está considerado como uno de tantos objetivos de la instrucción. En cambio es necesario que se diferencie de todo el resto de la cultura. El dominar el arte de escribir no es una simple habilidad, sino que representa la posesión de una forma superior del lenguaje que se añade al lenguaje natural; y lo completa integrándose con él.

El lenguaje hablado se desarrolla naturalmente en todo hombre. Sin él el hombre sería un desgraciado, un extrasocial, un sordomudo. El lenguaje es uno de los caracteres que distinguen al hombre de los animales. Es un don que la naturaleza le ha dado solamente a él: una expresión de su inteligencia. ¿Qué finalidad tendría la inteligencia, si el hombre no fuera capaz de comprender ni de transmitir sus pensamientos? Sin el lenguaje, ¿cómo podría el hombre asociarse con los demás para lograr una meta común, para realizar un trabajo?

El lenguaje hablado es un soplo que puede alcanzar solamente los oídos de los que están cerca; ésta es la razón por la que los hombres, desde la más remota antigüedad, han buscado otros medios para transmitir su pensamiento a distancias mayores y para fijar sus recuerdos. Se grabaron signos gráficos en las rocas o se escribieron en las pieles de animales. Por estas tentativas y a través de múltiples transformaciones se llegó gradualmente a la invención del alfabeto. ¡Fue una conquista de suma importancia! «Esta conquista», dice Diringer, «es mucho más grande y más importante que todas las demás para el progreso de la civilización; porque ella puede unir los pensamientos de toda la humanidad a través del desarrollo sucesivo de las generaciones. El alfabeto afecta no sólo a este desarrollo externo, sino también a la naturaleza misma del hombre, porque completa el lenguaje natural, dándole una forma nueva de expresión.»

Si el hombre es superior a los demás animales, que no tienen un lenguaje articulado, el que además puede leer y escribir es superior a los demás hombres que solamente pueden hablar. Y solamente el que escribe posee el lenguaje necesario para la cultura de nuestros tiempos. Por tanto el lenguaje escrito no puede ser considerado solamente como una materia de estudio y una parte de la cultura; es una *característica del hombre civilizado.*

El progreso de la civilización de nuestros días no puede florecer entre hombres que solamente poseen el lenguaje hablado; el analfabetismo es el más grande obstáculo para el progreso.

Por casualidad ha llegado hasta mí una noticia. En China, además de los movimientos de Chang Kai-Chek y de los comunistas, hay un tercer movimiento que se debe a un joven que ha dedicado su inteligencia a simplificar la escritura china. Sale así al paso de una necesidad de su patria, que nadie hasta ahora había percibido: la escritura china actual exige el conocimiento, por lo menos, de 9.000 signos: lo que hace imposible eliminar la ignorancia de las masas. Este joven reformador, sin introducir nuevas ideologías ni nuevas formas de gobierno ni mejores condiciones económicas ni siquiera la *libertad,* ha conquistado sin embargo en China una popularidad y un prestigio grandes.

Él es, evidentemente, un gran bienhechor del pueblo chino, que experimenta la necesidad de participar en el progreso del mundo; ese progreso que solamente se alcanza con la elevación de la personalidad humana. El pueblo chino siente que su derecho primero y fundamental es el de poseer los dos lenguajes necesarios al hombre civilizado. Los dos lenguajes son el punto de partida. Luego vendrá la cultura.

Por eso es necesario distinguir en las escuelas: por un lado los dos lenguajes, conexos con la formación del hombre; por otro, la cultura que se debe adquirir en un segundo tiempo.

A este propósito quiero reseñar la experiencia recogida en el estudio de los niños, que puede ser de gran provecho para los que se esfuerzan por eliminar el analfabetismo: *el lenguaje escrito puede ser adquirido por*

los niños de cuatro años mucho más fácilmente que por
los de seis años, en que empieza generalmente la educa-
ción obligatoria. Mientras los niños de seis años, con gran
fatiga y esfuerzo contra la naturaleza deben emplear por
lo menos dos años para aprender a escribir, los niños de
cuatro años aprenden el segundo lenguaje en el trans-
curso de pocos meses.

Lo conquistan no sólo sin fatiga ni esfuerzo, sino con
entusiasmo. El fenómeno que, hace ya más de cuarenta
años, despertó en mí el deseo de dedicar mi vida a la educación, fue el fenómeno espontáneo de la «explosión de
la escritura» en niños de cuatro años.

Este hecho, que intento explicar más adelante, tiene
una importancia práctica de enorme valor. Si en realidad
la llamada educación obligatoria comienza con niños analfabetos de seis años, éstos encuentran unas graves dificultades porque en esa época de la vida aprender a leer
y escribir supone una pérdida de tiempo y de energías e
impone al niño un árido esfuerzo mental, que provoca
un cierto disgusto hacia el estudio de cualquier tipo de
instrucción intelectual.

Quita el apetito de saber antes de empezar a alimen-
tarse.

En cambio, si los niños supieran ya, a la edad de seis
años, leer y escribir, la escuela podría empezar inmediatamente impartiendo la cultura de modo fácil e interesante; y los niños entrarían con entusiasmo en el terreno de
los estudios.

La diferencia es fundamental.

Las escuelas verdaderamente racionales y modernas, capaces de conseguir una elevación del pueblo, tienen que poder contar con sus *nuevos niños:* los que ya poseen los dos lenguajes, los niños del hombre superior adaptado para vivir en nuestro tiempo.

Todas las escuelas empiezan siempre enseñando a leer y escribir; porque la escritura fija los conocimientos humanos; es pues un procedimiento lógico. Y puesto que es objetivo de la escuela el dar los conocimientos, es necesario proporcionar a los niños unos medios que hagan que estos conocimientos sean duraderos. Leer y escribir son la llave que puede abrir inmensas reservas del conocimiento humano, reunidas, fijadas y acumuladas en los libros, por el arte de la escritura. Como he dicho antes, hay que distinguir bien entre la escritura, que es en sí misma un arte, y el conocimiento.

La escritura se ha hecho accesible a todos después de la invención del alfabeto, que la ha simplificado de tal manera que la ha puesto también al alcance de los niños. Tal invención no solamente ha simplificado la escritura, sino que también la ha humanizado, porque ha unido directamente el lenguaje escrito con el hablado, y lo ha convertido en complemento del mismo.

El lenguaje hablado se compone de pocos sonidos esencialmente distintos, limitados en su número, porque depende de las posibilidades de combinaciones de los movimientos de los órganos vocales, que tienen naturalmente un límite: un límite que es el mismo para toda la humanidad. En algunos lenguajes se emplean solamente veinticuatro o veintiséis sonidos esenciales; en otros, más; pero los sonidos son siempre limitados. En cambio son ilimitadas, o casi ilimitadas, las combinaciones de estos sonidos, es decir las palabras. Una lengua puede enriquecerse con palabras ilimitadamente; no existe ningún diccionario que las contenga todas, que pueda contener todas las palabras que se podrían formar uniendo letras y sílabas de acuerdo con las leyes matemáticas de las combinaciones y permutaciones.

El lenguaje alfabético escrito consiste en dar la representación, mediante un signo gráfico, de cada sonido que compone una palabra. El resultado es que estos signos son pocos en número, tan pocos cuanto lo son los sonidos. Esta representación se ha logrado perfectamente en los llamados «lenguajes fonéticos». Pero más o menos perfectamente, todo lenguaje escrito se basa en ese principio sencillo. El que no se correspondan fonéticamente todos los signos escritos del alfabeto con el lenguaje hablado es una dificultad que proviene de que el alfabeto no ha sido aplicado completamente y según su significado: pero esta dificultad se podría subsanar facilitando así la escritura. Porque no hay duda que los lenguajes, y su traducción en la escritura, están todavía evolucionando, están todavía perfeccionándose.

Ésta es la razón por la que el aprendizaje de la escritura debería empezar por un análisis de los sonidos de las palabras, pues éste es el camino que hay que seguir.

La escritura no debería comenzar con esos libros que están en uso en las escuelas, que empiezan siempre dando las sílabas y las palabras con dibujos: los silabarios. El uso correcto del alfabeto, en el aprendizaje de la escritura, tendría que dar solamente los simples signos del alfabeto, para relacionarlos directamente con los mismos sonidos que representan.

De esta forma las combinaciones de las palabras escritas se derivarían directamente del lenguaje hablado, que ya existe en la mente enteramente acabado. Esto es tan sencillo que puede llevar a escribir como por arte de magia. Porque los signos alfabéticos son en sí mismos generalmente muy sencillos y de fácil ejecución; y son tan pocos, que a todos les es posible recordarlos.

Un razonamiento lógico nos lleva a la conclusión de que, si este procedimiento fuera aplicado, la escritura surgiría espontáneamente, y podría representar inmediatamente todo el lenguaje hablado que cada uno posee.

Con esta clave, el problema de aprender a escribir quedaría resuelto sin dificultad. No solamente se podría aprender a escribir en pocos meses, sino que la escritura se *desarrollaría espontáneamente* completándose gradualmente a medida que la mente se va concentrando en ese ejercicio.

El alfabeto está directamente conectado con el lenguaje hablado: éste es el modo de llegar al arte de escribir siguiendo un *camino interior:* alcanzar esa habilidad de escribir que proviene del análisis de las palabras que cada uno posee y de la actividad de la propia mente, interesada en esa conquista mágica.

Pero si, por el contrario, la escritura se aprende partiendo de los libros, por tanto de la facultad de leer, y estos libros presentan grupos de palabras —que se tienen que aprender— seleccionadas arbitrariamente, entonces las dificultades se multiplican. El resultado es un lenguaje dividido: un lenguaje escrito, que es adquirido desde fuera y que se deriva de descifrar sílabas y palabras, que no tienen ningún interés.

Es como si se intentara construir desde fuera un lenguaje nuevo, empezando por los sonidos, por balbuceos sin sentido, como le sucede al niño durante el primer año de edad; es decir, siguiendo un proceso semejante al que emplea la naturaleza al construir el lenguaje articulado en un ser sin inteligencia y sin hábitos motrices, como es el hombre al nacer.

Pero si el alfabeto se une al lenguaje hablado, el proceso se convierte en una sencilla traducción del propio lenguaje por los signos gráficos.

De este modo está siempre conectado con palabras que tienen un significado en la mente y la escritura progresa mediante un atractivo natural. De esta forma el lenguaje que se posee es doble, y se mantiene fijado de un modo estable. Los ojos y la mano actúan conjuntamente sobre el tesoro que se había acumulado naturalmente a través del oído y de los órganos vocales. Pero mientras el lenguaje hablado es un soplo que se desvanece en el espacio, el lenguaje escrito se convierte en algo permanente, que se mantiene fijo ante los ojos y puede ser manejado y estudiado.

Por esta relación directa de las palabras con los sonidos, el alfabeto representa uno de los mayores inventos de la humanidad.

El alfabeto ha influido en el progreso humano más que ningún otro invento: porque ha modificado al hombre mismo, dándole nuevos poderes por encima de la naturaleza; ha hecho al hombre poseedor de dos lenguajes: uno natural y otro super-natural. Con este último, el hombre puede transmitir sus pensamientos a gentes alejadas; puede fijarlos para sus descendientes; puede atesorar de una manera práctica, a través del tiempo y del espacio, los resultados intelectuales de toda la humanidad.

«Es sorprendente», dice Diringer, «que la historia de la escritura sea una Cenicienta, tanto para los hombres cultos como para los ignorantes. Esta historia no se estudia en las universidades ni en las escuelas secundarias, ni en las primarias, y ningún museo importante ha creído nunca que fuera necesario ofrecer al público una exposición del desarrollo de la escritura» (D. Diringer, *L'alfabeto*).

Absortos en el progreso exterior, los hombres no han prestado suficiente atención a este instrumento mágico.

La escritura no es el alfabeto. La escritura es una serie de intentos por transmitir el pensamiento de una forma práctica y permanente: su historia se remonta a miles de años. El hombre buscó primero representar los dibujos de los objetos de su pensamiento; luego simbolizar las ideas mediante unos signos; y sólo recientemente ha encontrado una solución sencilla en el alfabeto.

No son las ideas las que deben ser representadas por

figuras, sino los sonidos que componen el lenguaje. Porque solamente el lenguaje puede representar genuinamente las ideas y el contenido de los pensamientos más elaborados. El alfabeto permite esto, porque traduce fielmente la palabra hablada.

Al enseñar a escribir, no se ha tomado en consideración la función del alfabeto. Lo presentan sólo como un análisis del lenguaje escrito, en vez de presentarlo como fiel reproducción del lenguaje hablado. Ha quedado sumergido en el escrito, sin una finalidad propia y sin ningún interés.

Por eso constituye un comienzo árido de los estudios. Su finalidad y su ventaja permanecen ocultas durante largo tiempo a la mente del niño. El lenguaje escrito se enseña incluso en las lenguas fonéticamente perfectas del mismo modo como se enseñaría la escritura china, que no tiene una directa relación con los sonidos de las palabras; esto es, que no posee la maravillosa y práctica sencillez del alfabeto.

Nuestro experimento, que empezó con niños entre los tres y seis años de edad en 1906 en Roma, es, yo creo, el primero y el único ejemplo de enseñar a escribir conectando directamente los signos gráficos del alfabeto con el lenguaje hablado, sin emplear libros. El resultado maravilloso e inesperado fue que la escritura salió fuera «de manera explosiva», empezando con palabras enteras, que llovían incesantemente sobre la mente del niño; y a través de su pequeña mano las palabras escritas recubrían pizarras, pavimentos y paredes —en un incansable y exultante trabajo creador. El fenómeno sorprendente ocurría en niños entre los cuatro y los cuatro años y medio.

Yo estoy segura de que esta vieja experiencia podrá tener hoy su utilidad para combatir el analfabetismo, al abogar por la utilización de los recursos de la naturaleza.

Ya supone un progreso práctico por sí mismo el relacionar directamente la escritura en su aspecto real y sencillo —por así decirlo— con el lenguaje hablado. Es un progreso práctico que puede aplicarse tanto a los niños como a los adultos. De ese modo la escritura se convierte en una especie de *self-expression* y despierta un interés y una actividad hasta el punto de provocar el entusiasmo de una evidente conquista y de un nuevo poder que se va adquiriendo.

El lenguaje escrito, después de una primera fase que lo fija en el individuo, se convierte en un talismán que permite penetrar en el océano de la cultura, abriendo más o menos extensamente, pero abriendo a todos, un nuevo mundo. Los libros de lectura y los silabarios deben, por consiguiente, ser abolidos durante el primer período en el que la escritura es adquirida como una nueva forma de *self-expression*. El alfabeto funciona, pues, como una llave que se gira desde el interior.

La cultura en sí misma es distinta de la escritura. Pero si antes de la invención del alfabeto se podía concebir un hombre de gran experiencia y valor moral que fuera analfabeto, en nuestros días es inconcebible un individuo no instruido, por muy grande que pueda ser moralmente, que participe en la cultura propia de su tiempo.

Los dos aspectos diversos bajo los cuales se puede considerar el lenguaje nos llevan a una distinción que puede prestar una gran ayuda práctica.

El lenguaje escrito afecta a la *self-expression;* es un mecanismo sencillísimo para crear en la personalidad. Puede ser analizado en sus partes; y es este análisis el que tiene valor.

Ser instruidos o no instruidos, es decir ignorantes, es algo distinto de saber escribir o ser analfabetos.

La escritura está en relación solamente con el alfabeto; y por eso, con el lenguaje hablado, es decir con el análisis de los sonidos; mientras ser instruidos y cultos supone penetrar en la literatura, conectada con el mundo exterior, con los libros que fijan las imágenes y los pensamientos, y por tanto con la lectura.

Nuestros experimentos realizados con niños de cuatro años (época en la que la escritura puede «explotar» como consecuencia de una conquista hecha anteriormente) eran particularmente importantes. El desarrollo del lenguaje dura en realidad hasta los cinco años de edad y la mente se encuentra entonces en una fase de actividad por todo aquello que se relaciona con la palabra.

En este tiempo, que se podría llamar «la estación de la vida», es cuando el lenguaje escrito suele fructificar. Porque la fructificación no depende sólo de las semillas o de la preparación del suelo, sino también de la estación en la que se siembran las semillas.

El análisis del mecanismo de la escritura, que permite unirlo alfabéticamente con el lenguaje hablado, puede ser útil para los adultos tanto como para los niños; pero la estación favorable es aquella en la que el lenguaje hablado se va completando y perfeccionando espontáneamente. Es el «período sensitivo psíquico» dispuesto por la naturaleza para tal fin en los niños pequeños. Se puede emplear aquí realmente la expresión «desarrollo del lenguaje escrito», porque, conectando el alfabeto con los sonidos de las palabras, los dos lenguajes se desarrollan, se expanden y se enriquecen, como si formaran un todo orgánico.

La preparación del mecanismo es un proceso natural. También el lenguaje hablado empieza con balbuceos prolongados, que hacen funcionar mecánicamente los órganos de la palabra. Solamente a los dos años de edad, cuando ya los movimientos se han estabilizado, el lenguaje se desarrolla al impulso de la inteligencia, que absorbe entonces nuevas palabras y prosigue perfeccionando la construcción misma del lenguaje, absorbiéndolo del ambiente y de las personas entre las que vive el niño. Existen, pues, dos fases diferentes: una en la que el mecanismo (es decir, la función ágil de los órganos de la palabra) viene preparado mediante largos ejercicios; y una segunda fase, intelectual, en la que el lenguaje desarrolla su construcción expresiva.

En esta segunda fase, es decir en el período intelectual del desarrollo natural del lenguaje, éste puede ser ayudado por el alfabeto en orden a su perfeccionamiento; del mismo modo como en el hombre adulto la inteligencia se perfecciona con la adquisición de la cultura, cuando sabe leer y escribir.

El hecho importante es que el alfabeto y la consiguiente aptitud de escribir *ayudan* al desarrollo del lenguaje en el niño. Y al prestar una ayuda real a un desarrollo natural que viene en el tiempo oportuno, es absorbido con avidez vital.

Los signos del alfabeto, tal como nosotros los ofrecemos, en forma de objetos separados y manejables, no actúan solamente como estímulos que reclaman la actividad de la conciencia respecto del lenguaje articulado, adquirido ya antes inconscientemente, y que conducen al análisis de los sonidos componentes de las palabras; sino que también dan a estos sonidos una forma visible, que permanece para siempre ante los ojos.

El *alfabeto móvil* es un instrumento dócil, que la mano puede mover haciendo combinaciones y construyendo palabras como se haría con las diversas piezas de un puzzle, y que lleva a una maravillosa conquista.

¿Qué otra conquista más maravillosa puede haber?

Esos pocos objetos permiten construir *todas las palabras* que un niño posee; e incluso palabras pronunciadas por otros. Este ejercicio intelectual, tan sencillo, representa por esto mismo una ayuda para determinar, perfeccionar y fijar el lenguaje hablado.

La *base* de estos ejercicios es evidentemente el análisis de las palabras —es decir el *spelling*—, el deletreo. Es un ejercicio totalmente interior que permite pasar revista al propio lenguaje en sus partes componentes. Esto no lo había hecho nunca el niño, ni podría hacerlo, sin poseer la clave que le proporcionan estos signos visibles y movibles.

El niño *descubre* de esta forma su propio lenguaje. Toda tentativa de construir una palabra se basa sobre una búsqueda y un descubrimiento: el descubrimiento de los sonidos que forman la palabra que él quiere reproducir.

Estos ejercicios pueden servir también para el adulto analfabeto; y de hecho se ha probado que le sirven. El alfabeto puede ser para todos la clave que les conduce a la exploración del propio lenguaje, despertándoles un nuevo interés. El interés surge no sólo con motivo de este análisis, que le lleva a superar las dificultades de la ortografía en el lenguaje escrito, sino también porque crea la conciencia de que los signos alfabéticos son muy pocos. Y a pesar de ser tan pocos, pueden expresar todo el lenguaje en todas sus formas y en toda ocasión. Si un adulto, por ejemplo, sabe de memoria una poesía o una oración, todas las palabras de esa poesía o de esa oración pueden ser construidas. Es fantástico pensar que todos los libros de una biblioteca entera, las noticias que llenan todos los días páginas de incontables diarios, todas son combinaciones del alfabeto; y que las conversaciones que se escuchan en el medio ambiente donde se vive, y las que son transmitidas por la radio, están compuestas por esos mismos sonidos representados por tan pocos objetos: ¡las letras del alfabeto!

¡Así se puede comprender que el hombre no instruido

pueda sentirse realzado en el espíritu por este pensamiento, que puede ser para él una revelación y una inspira-
ción!

Pero no son éstas las ideas que deslumbran al niño:
en él están actuando energías vitales. Los ejercicios con
el alfabeto le producen emociones exultantes, porque en el
período del desarrollo del lenguaje hay en él como una
llama viva que arde en un impulso de creación.

En nuestras primeras escuelas los niños enarbolan,
frecuentemente, como si fueran estandartes, algunos de
los cartones que reproducían las letras del alfabeto mos-
trando con sus gritos los ímpetus del entusiasmo.

En mis libros hablo de niños que se paseaban solos,
como monjes en meditación, analizando en voz baja las
palabras: «Para componer Sofía se necesita S-o-f-í-a».

Una vez un padre le preguntó a su hijo, que frecuen-
taba nuestra escuela: «¿Has sido hoy bueno?» El niño
contestó enfáticamente: «¿Bueno?... B-u-e-n-o».

Le había llamado la atención una palabra. Y rápidamente la analizaba en sus sonidos componentes.

Los ejercicios con el alfabeto móvil ponen en movimiento el lenguaje entero y provocan una actividad verdaderamente intelectual.

Hay que notar, sin embargo, que en todos estos ejercicios, la mano *no escribe*. El niño puede construir palabras largas y difíciles, sin haber escrito nunca, sin haber
tenido nunca una pluma en la mano.

El ejercicio de componer las palabras es sólo una
preparación para escribir; pero en ese ejercicio están uni-

das potencialmente las dos cosas : escribir, porque de los ejercicios resultan objetivamente palabras escritas; y leer, porque al mirar esas palabras escritas, se leen. Por eso estos ejercicios continuados de construcción tanto de palabras habladas como escritas, preparan no solamente para escribir, sino para escribir *correctamente*.

En las escuelas la ortografía no es correcta cuando el niño escribe. Esta dificultad tan grave en las escuelas ordinarias (tanto que en América existen hoy clínicas también para la ortografía) ha quedado enteramente resuelta con las construcciones hechas mediante el alfabeto móvil. Este ejercicio prepara para leer sin libros; y para escribir, sin escribir.

Es, como yo lo he definido, «el lenguaje escrito liberado de los mecanismos».

El escribir en realidad, es decir con la mano que traza con la pluma las letras del alfabeto, es solamente un mecanismo de ejecución; y es algo tan distinto del trabajo intelectual, que la escritura se puede reproducir con máquinas de escribir y con la imprenta. La mano es una especie de máquina viva cuyos movimientos deben ser educados de forma que esté al servicio de la inteligencia; y esta educación se consigue mediante ejercicios aislados, que llevan a establecer las coordinaciones motrices necesarias.

La inteligencia es el órgano ejecutivo: Tenemos aquí otra distinción, que en la práctica requiere diversos procesos de preparación.

Si, como se hace en las escuelas ordinarias, se empieza

por aprender a escribir —*escribiendo*— se tropieza con dificultades que, si no son insuperables, son ciertamente *inhibidoras* del trabajo mental. Es como si el hombre ya inteligente, lleno de ideas, deseoso de hablar, no tuviera todavía a su disposición los mecanismos para la articulación del lenguaje hablado. Un proceso semejante se adopta para promover el lenguaje de los sordomudos, provocando los movimientos articulatorios con el esfuerzo por hablar.

Lo mismo ocurre cuando se insiste en preparar la mano para escribir, intentando escribir.

Si un obrero, cuya mano está ya endurecida, ha de empezar usando una pluma, de punta tan delicada, o bien un lápiz, debe empezar por realizar unos ejercicios que para él resultan difíciles, penosos y descorazonadores. El plumín roto, las manchas de tinta, la punta del lápiz quebrada, serán para él un aprendizaje deprimente. Sus resultados demasiado imperfectos pondrán a prueba su heroica buena voluntad.

También para los niños, en las escuelas elementales, la pluma se convierte en un instrumento de tortura; y el escribir, en un trabajo penoso, impuesto a la fuerza y a base de continuos castigos.

Por eso la mano debe tener su preparación: aprender la escritura, antes de escribir, por medio de una serie de ejercicios interesantes, que son una especie de gimnasia, semejante a la que se emplea para dar agilidad a los músculos del cuerpo.

La mano es un órgano externo cuyos movimientos

pueden estar directamente influenciados por la educación, porque ellos son visibles y sencillos; no es como para el mecanismo de la palabra, que requiere secretos e imperceptibles movimientos de órganos escondidos como la lengua y las cuerdas vocales.

También la mano que escribe necesita algunas coordinaciones; pero éstas pueden incluso ser analizadas, como el sujetar entre los dedos el instrumento empleado para escribir; el flúido movimiento necesario para marcar los trazos con la pluma, el minucioso dibujo de las letras del alfabeto, manteniendo al mismo tiempo la mano ligera y segura.

Estos movimientos diversos pueden ser preparados de uno a uno por medio de varios ejercicios.

Tal como se ha hecho para los niños de nuestras escuelas, también para los adultos se pueden idear trabajos manuales cada uno de los cuales prepara uno de estos elementos.

Moviendo los objetos en los ejercicios sensoriales, los niños disponen la mano para todas las acciones que son necesarias para el acto de escribir (cfr. *Metodo di preparazione indiretta della scrittura*) (1).

Basta solamente con dar una indicación exacta sobre el modo de manejar los instrumentos de la escritura.

La exactitud de este manejo despierta en los niños un nuevo interés. Durante la primera infancia, se ven impulsados por la naturaleza a coordinar los movimientos de la

---

(1) M. MONTESSORI, *El descubrimiento del niño (Método de la Pedagogía Científica)*, Araluce, Barcelona.

mano; como se ve en el instinto de tocarlo todo, de cogerlo todo, y de jugar con qualquier cosa. La mano del niño, «en la edad de los juegos» es guiada precisamente por la vida para que se preste a una preparación indirecta de la mano en orden a la escritura. En esta época el niño tiene la pasión de dibujar. La gran ventaja de tener una mano *nueva*, animada por energías naturales, no se encuentra ya en el adulto, ni siquiera en el niño de seis años.

Éste ha pasado ya el período sensitivo (la edad de los juegos, la edad de tocar); y por eso ya ha dado estabilidad, quizás, a los movimientos de su mano.

En el obrero la condición es todavía peor, porque al aprender a escribir, debe destruir todo lo que el hábito del trabajo ha fijado ya en su mano.

Sin embargo, precisamente por esta dificultad, es mejor preparar indirectamente la mano del adulto analfabeto con algún ejercicio manual; y especialmente con el dibujo, no libre, sino guiado con precisión por algún medio que le lleve la mano y permita conseguir resultados visibles de dibujos decorativos bien hechos.

De esta forma se tendría una especie de gimnasia preparatoria de los mecanismos de la mano, que se puede comparar, en su finalidad, con la otra preparación intelectual de la escritura, realizada mediante el alfabeto móvil. Es decir, que la mente y la mano sean preparadas por separado para la conquista del lenguaje escrito, siguiendo procedimientos diversos.

Falta el acto final; es decir, trazar realmente con la mano los signos alfabéticos que el ojo ya conoce.

Los métodos ordinarios que están en uso en las escuelas, consisten en hacer copiar al niño letras ya trazadas y puestas a la vista, como modelos. Esto parece lógico, pero es solamente ingenuo. Porque los movimientos de la mano no tienen ninguna correspondencia directa con el ojo. *Ver*, no ayuda a la mano a *escribir*.

La voluntad es la única que actúa cuando se intenta realizar la escritura mirando un modelo.

No sucede como en el caso del lenguaje hablado, en el que el oído y los movimientos de la articulación de la palabra tienen esa misteriosa e íntima corespondencia que es uno de los caracteres distintivos de la especie humana. Por eso, la copia es un esfuerzo artificial, que lleva a una serie de tentativas defectuosas, fatigosas y descorazonadoras.

En cambio la mano se puede preparar directamente para que trace los signos alfabéticos; y si hay algún sentido que la pueda ayudar, es el tacto, el sentido muscular, y no la vista. Por eso nosotros hemos preparado para nuestros niños letras recortadas en papel de lija, pegándolas luego sobre papel alisado; reproducen las letras del alfabeto móvil con la misma dimensión y forma; enseñamos al niño a tocarlas precisamente en el sentido de la escritura moviendo los dedos sobre cada una.

¡Procedimiento sencillísimo, que produce resultados maravillosos!

Porque los niños imprimen de esta manera, por así decir, las formas de las letras en la mano. Cuando empiezan a escribir espontáneamente, su caligrafía es perfecta;

y todos los niños escriben del mismo modo, porque todos han tocado las mismas letras.

En el caso de los obreros sin instrucción, se puede adoptar el mismo procedimiento. Cualquier obrero es capaz de tocar las letras de lija, guiado por la sensibilidad táctil de los dedos. Él puede ir siguiendo así todas las particularidades de unos dibujos sencillos relativos a las letras del alfabeto.

Yo sé que, hace como unos dos siglos, un artista que trabajaba en el Vaticano, preparó de esta forma la escritura caligráfica para hombres adultos. En aquellos tiempos todavía se escribían a mano libros y pergaminos, exquisitas obras de arte; la caligrafía (es decir, la escritura bella) era algo exclusivo de especialistas; pero resultaba dificilísimo ejecutar los detalles minuciosos de una escritura perfecta.

Este artista ideó que, en vez de copiar los modelos, los tocaran; y logró preparar calígrafos con gran rapidez y exactitud; con el otro sistema habrían necesitado un largo aprendizaje, no siempre acompañado del éxito.

Es simple, como el huevo de Cristóbal Colón; es práctico y lógico.

Ahora pues, cuando ya todo está a punto, la mano puede efectivamente escribir. Y si antes la mente se ha ejercitado en la formación de palabras, la escritura puede «explotar» en un momento, trazando de repente palabras enteras o incluso frases, como un prodigio, como un nuevo don de la naturaleza.

Esto es lo que ocurre en la famosa «explosión de la

escritura» en los niños de cuatro años. Escriben reproduciendo las formas que han tocado, y por eso escriben bien; y escriben con una ortografía correcta, conquistada antes por la inteligencia independientemente.

La rapidez con que los niños aprenden a escribir, es sorprendente. En mis experiencias, ellos recibían por primera vez el alfabeto en el mes de octubre, y ya en Navidad (25 de diciembre) escribían cartas a sus bienhechores. Incluso antes ya escribían en la pizarra un saludo a los visitantes.

Pero es conveniente pensar que la mano de esos niños había sido preparada indirectamente para escribir con el prolongado manejo del material sensorial. Y que la lengua italiana es casi perfecta fonéticamente, y se la puede escribir enteramente por medio tan sólo de los veintiún signos alfabéticos.

Pero también sucede el mismo fenómeno con lenguajes no fonéticos, aunque se necesita un tiempo algo más largo. En todos los países de lenguajes no fonéticos, como el inglés, el holandés, el alemán, los niños de seis años no se quedaron analfabetos.

En cuanto a la lectura, ella está ya, en cierto modo, implicada en los ejercicios con el alfabeto. En una lengua perfecta fonéticamente se podría desarrollar incluso sin ninguna otra ayuda, si existiera un fuerte impulso para conocer los secretos de la escritura.

Nuestros pequeños, cuando el domingo iban de paseo con sus padres, se detenían largamente ante las tiendas, logrando descifrar los nombres que estaban escritos allí, aunque fueran trazados con letras mayúsculas, si bien las que ellos conocían por el alfabeto eran cursivas.

Realizaban así un verdadero trabajo de interpretación, semejante al que se hace al interpretar las inscripciones de pueblos desaparecidos.

Tal esfuerzo podía brotar solamente de un gran interés por comprender, descifrándolo, lo que estaba escrito.

Una vez en nuestra primera escuela, frecuentada por niños todos analfabetos, y que por tanto no tenían libros en casa, uno de los niños trajo un trozo de papel manoseado y sucio y dijo: «¿A qué no sabéis que es esto? —«Un trozo de papel sucio». —«¡No, aquí dentro hay un cuento!» Los demás niños le rodearon llenos de admiración; y todos se convencieron de aquella verdad prodigiosa.

Después de esto buscaban libros, y arrancaban páginas para llevárselas a casa.

De tal experiencia resulta que el aprendizaje de la lectura puede depender de la actividad mental, mucho más que de la enseñanza.

A la edad de cinco años, los niños leen libros enteros; y la lectura les llena de satisfacción y les divierte, como los cuentos de fábula y las noticias con las que el adulto se entretiene.

Los niños se interesan por los libros cuando saben leer. Esto es tan obvio que resulta superfluo mencionarlo.

En las escuelas comunes, en cambio, la lectura empieza directamente desde los libros: los niños deben aprender a leer leyendo.

Los primeros libros de lectura están compuestos en función de viejos prejuicios que ven dificultades imaginarias sucesivas que hay que superar, procediendo de palabras cortas a palabras largas, de sílabas sencillas a sílabas compuestas, y así sucesivamente; es decir, levantan a cada paso obstáculos que hay que vencer.

Pero tales dificultades no existen. Los niños tienen ya, en su lenguaje materno, palabras cortas y largas y sílabas de toda clase. Basta, pues, *únicamente* hacer un análisis de los sonidos y encontrar para cada uno el signo alfabético correspondiente. ¡Así es! ¡Aunque pueda parecer una cosa difícil de comprender por quien está aún ajeno a esta verdad! La lectura no tiene que ser empleada para superar dificultades semejantes a las apuntadas.

Ella es la entrada desde el lenguaje escrito en el campo de la cultura. No es, como la escritura, un medio de *self-expression;* sino que tiene como finalidad recoger y reconstruir, por medio de los signos alfabéticos, palabras e ideas expresadas por otras personas, que nos hablan en el silencio.

También la lectura exige la ayuda de una preparación.

Aunque no es posible describir aquí de manera detallada los medios que empleamos en esta preparación, quiero solamente repetir que la lectura no empieza desde los libros. Nosotros la iniciamos con una serie de materiales, que al principio son pequeños carteles en los que está escrito el nombre de un objeto, cuyo nombre se conoce; se trata de reconocer el sentido de la palabra leída, poniendo el cartelito junto al objeto que representa. En un período posterior, damos frases cortas que señalan acciones que hay que realizar. Indicar los *nombres* enseña a distinguir una parte del discurso; indicar las acciones, lleva a distinguir otra parte, es decir los *verbos*. Así las primeras lecturas pueden prepararse de forma que introduzcan al estudio gramatical del lenguaje.

El niño de dos años no posee solamente palabras; sino también sus sucesivas combinaciones, necesarias para expresar el pensamiento en la lengua materna. Porque no son suficientes las palabras para dar un sentido, sino que también es necesario el orden en que ellas se dispongan, para expresar con claridad el significado de la idea que se dice.

Todo lenguaje tiene su orden peculiar: y este orden es comunicado enteramente por la naturaleza a cada individuo durante los dos primeros años de su vida.

Y como el análisis de las palabras, en sus sonidos componentes, durante el tiempo de la construcción alfabética, ayuda a los niños a una realización consciente de su propio lenguaje, así la lectura basada en las partes del discurso, ayuda al conocimiento de la construcción gramatical, de las funciones de cada parte del discurso, y del orden que cada una debe ocupar para darle claridad.

La gramática adquiere así una forma «constructiva» bajo la guía del análisis, que no es, como se cree en los métodos ordinarios una especie de anatomía, que despedaza el discurso en sus partes para analizarlo.

Las pequeñas lecturas gramaticales son breves, fáciles y claras; y al mismo tiempo interesantes. Sobre todo porque también ellas van acompañadas por actividades motrices no solamente de la mano, sino de todo el cuerpo. Estas lecturas gramaticales activas llevan a un desarrollo de acciones y de juegos que ayudan a explorar el lenguaje; es decir, a esas maneras de expresarse que se fueron adquiriendo inconscientemente.

Por eso *la exploración del lenguaje que ya está construido* se ha realizado por medio de ejercicios prácticos atractivos, en conexión con la lectura.

Y así como se lee con la vista las frases, para que sean en sí mismas atractivas, son preparadas con una escritura no sólo grande, sino con varios y vivos colores. Así se consigue no sólo leer más fácilmente, sino que se distingan las diferentes partes del discurso.

Es en este punto y en esta época de la vida cuando el niño puede ser ayudado para que corrija los defectos gramaticales de su discurso, del mismo modo que la construcción alfabética de las palabras ayuda a la ortografía.

En el procedimiento de esta experiencia se presentan hechos que son difíciles de captar por quien no está compenetrado con el trabajo de nuestro método. Por ejemplo, el hecho de que no haya una progresión sucesiva entre los ejercicios: van todos juntos y se repiten varias veces los ya hechos; aquellos que en las escuelas ordinarias serían considerados como más difíciles pueden preceder a otros ejercicios tenidos por más fáciles, alternándose los unos con los otros en una misma mañana. Puede ocurrir que un niño de cinco años, que ya lee libros enteros, vuelva a tomar parte con entusiasmo en las lecturas grama-

La lectura se adentra, pues, directamente en el plano de la cultura, porque no se limita sólo a hacer leer, sino que penetra en el progreso del conocimiento: el estudio de la lengua propia. Durante este brillante proceso, se encuentran y se superan todas las dificultades gramaticales. Incluso las pequeñas variaciones que tienen que sufrir las palabras para adaptarse a las particularidades de un discurso expresivo: prefijos, sufijos, flexiones, se convierten en exploraciones interesantes. La conjugación de los verbos ha provocado una especie de análisis filosófico, que hace comprender cómo el verbo en el discurso es *la voz que habla* de acciones; no es la indicación de acciones efectivas que se están cumpliendo. Y levanta ante la conciencia las diversas gradaciones de sus tiempos. Los verbos irregulares (tan difíciles de aprender) existen ya todos en el lenguaje; se trata sólo de «descubrir» que son irregulares.

Es algo enteramente diverso del estudio de la gramática de una lengua extranjera, en el que se tiene que aprender detalle por detalle.

¿Pero no se estudia de este modo en las escuelas ordinarias incluso la lengua materna?

¡La lengua propia se estudia como si fuera una lengua extranjera!

No se tiene en cuenta el trabajo divino y misterioso de la creación, el más grande milagro de la naturaleza.

Es fácil comprender que las lecturas gramaticales, con su sencillez y claridad, pueden ser empleadas también para los analfabetos adultos.

De otra forma, ellos, para aprender a leer deberían esforzarse por comprender lo escrito en un libro que no les ofrece ningún atractivo en su monótona uniformidad de impresión. Esto supone la dificultad de conocer a un mismo tiempo, dos alfabetos diferentes: aquel con el que se escribe y aquel con el que se lee.

La exploración gramatical del lenguaje ayuda no sólo a la lectura, sino que también produce satisfacciones estimulantes porque les hace conscientes del lenguaje que ya poseen, mientras que el leer libros les hace concentrarse en pensamientos que les vienen de fuera.

En la práctica, para enseñar a una masa de hombres analfabetos, no sería fácil hallar muchos maestros que conozcan bien la gramática; pero un material preparado puede suplir la imperfección de maestros improvisados; y la fatiga de la enseñanza se alivia, incluso para los mismos maestros.

En un reciente experimento realizado en Inglaterra, después de la segunda gran guerra, una maestra escocesa dice:

«Yo me veía apurada por las excesivas cosas que tenía que hacer, pero el material suplía mi insuficiencia; la clase se convirtió en una verdadera factoría gramatical con todos los obreros ocupados y contentos».

La cultura por sí misma no se ha de confundir, como decía al principio, con el aprender a leer y escribir.

El niño de cinco años no es culto porque posee el lenguaje escrito, sino porque es inteligente y ha aprendido muchas cosas.

En realidad nuestros niños de seis años poseen ya muchos conocimientos variados sobre biología, geografía, matemáticas, que adquieren directamente mediante un material visual y manejable.

Sin embargo éste es un asunto diferente del que he querido tratar aquí. Me propuse tratar sólo de la actualidad que tiene el hacer desaparecer el analfabetismo en las masas.

La cultura se puede transmitir a través de la palabra, también por la radio y los discos fonográficos; se puede dar mediante las imágenes de las proyecciones y del cine. Pero sobre todo *se debe dejar que se adquiera* mediante la actividad, con la ayuda de materiales que permitan al niño adquirir la cultura por sí mismo, impulsado por la naturaleza de su mente que busca, y dirigido por las leyes de su desarrollo. Éstas demuestran que la cultura es absorbida por el niño a través de experiencias individuales, con la repetición de ejercicios interesantes, a lo que contribuye siempre la actividad de la mano, órgano que coopera al desarrollo de la inteligencia.

FIN

ESTA EDICION DE 3 000 EJEMPLARES SE TERMINO
DE IMPRIMIR EL 5 DE DICIEMBRE DE 1986 EN LOS
TALLERES DE EDITORIAL VILLICAÑA, S. A.
CERRADA HIDALGO 9
COL. SAN FELIPE TERREMOTES, IZTAPALAPA
09360 MEXICO, D. F.